Rol de cornudos

Camilo José Cela

Rol de cornudos

Galería Literaria Contemporánea
Editorial Noguer, S. A.

Décima edición

Diseño sobrecubierta: Cardona Torrandell
ISBN: 84-279-1162-9
Depósito legal: B. 51.752-1976

Printed in Spain

1976 – Gráficas Instar, S. A., Constitución, 19, Barcelona-14

IN MEMORIAM
A
CHARLES FOURIER
(1772-1835)
TRATADISTA QUE CLASIFICÓ
LOS
CORNUDOS DE SU TIEMPO
Y A MI AMIGO
EL ILMO. SR. DON
ESTANISLAO DE LA SAGRA Y MASCAREQUE
ALIAS PIJO PÉNDULO
(1918-1976)
CUYAS AMBAS SUCESIVAS ESPOSAS
TANTO Y TAN HONESTO SOLAZ
PROPORCIONARON A MIS CARNES
Y A MI ESPÍRITU
GRACIAS A LO MUCHO Y BIEN
QUE CORNIFICARON
EN VIDA
A SU DIFUNTO

●

LAUS DEO

PROOEMIUM GALEATUM

En el Lothus-Matra, el libro sagrado de los sidonios que, por lo común, tan mal ha sabido leerse e interpretarse, se dice que al hombre le florecen los cuernos cuando comete el pecado de pensar. No pienses y no serás cornudo (salmo CXXIII), porque los pensamientos solidifican su substancia en forma de cuerno al salir de la cabeza y entrar en contacto con los espíritus que flotan en el éter. Paracelso, estudiando el síndrome de Raymond que presentaba su callosa tía Engracia, observó que los cuernos producen los antídotos necesarios para luchar contra los trastornos del carácter y de la memoria, la amnesia topográfica, las anomalías de la conducta y la falta de coordinación de las ideas, ya que proceden a modo de pararrayos que desvía la chispa a los abismos.

Partiendo del axioma —suficientemente explicado por Franz Jakubowski en su *Der ideologische Ueberbau in der materialistischen Geschichtsauffassung*— de que jamás hubo un mamífero vertebrado superior sin cuernos, me permito ofrecer al cornudo y paciente lector este trabajito sin más mérito que el de su orden y buena voluntad. No se trata de un libro sino de una suma de papeletas eruditas coleccionadas con el sólo propósito de facilitar una herramienta al sabio que la hubiere menester.

Jenócrates, sucesor de Espeusipo como escolarca de la Academia platónica, sostuvo, en su pitagorismo, la teoría de que los cuernos son mudadizos como las nubes, ya que no hay dos iguales, y Jenófanes de Colofón —cerca de doscientos años más viejo— explica, en su poema *Sobre la naturaleza,* que el universo se rige por un dios único, supremo y esférico— «todo ojos, todo oídos, todo cuernos»— que es inmóvil pero que, pese a su inmovilidad, lo rige y gobierna todo por su pensamiento y reparte cuernas, entre los seres racionales, con prodigalidad infinita.

Sin caer en el extremo de Giovanni Domenico Romagnosi (Séneca nos pedía mesura hasta en el sufrimiento), que supone que hay tantas especies de cornudos como hombres broten, el día del Juicio Final y sus trompetas, en el Valle de Josafat, sí admito que son varias sus clases y diversos sus arquetípicos especímenes. A su primer recuento se aplican las modestas páginas que siguen.

cornudo. Fuero de Zorita de los Canes, año 1180. Tod aquel que algun omne dixiere o llamare malato, o cornudo, o fodido, o fijo de fodido, peche ii marauedis, et sobre todo esto iure con dos uezinos, que aquella desondra et aquella mala estança quela nunca sopo enel.

Fuero de Cuenca, año 1189: Qual quiere que a otro dixere malato o cornudo o fodido o fi de fodido, peche dos mr. si fuere prouado, et sobresto jure con dos vezinos que non sabe aquel mal enel.

Fuero de Madrid, año 1202: Toto homine qui a uezino uel a filio de uezino (...) dixierit alguno de nomines uedados «fudid in culo» aut «filio de fudid in culo» aut «cornudo» (...) pectet medio morabetino al renquroso et medio morabetino a los fiadores.

Corominas, *Diccionario crítico-etimológico,* lo documenta en el *Fuero de Guadalajara,* año 1219.

Sebastián de Covarrubias, *Tesoro de la Lengua Castellana o Española*: Es el marido cuya muger le haze trayción juntándose con otro y cometiendo adulterio. Esto puede ser de dos maneras: la una quando el marido está inorante dello, y no da ocasión ni lugar a que pueda ser; y por este tal se dixo que el cornudo es el postrero que lo sabe, y compárase al ciervo, que no embargante tenga cuernos, no se dexa tratar ni domesticar. Otros que lo saben o barruntan, son comparados al buey, que se dexa llevar del cuerno, y por esso llaman a éste paciente; no sólo porque padece su honra, sino también porque él lo lleva en paciencia. Cerca de la etimología deste vocablo ay varios pareceres: unos dizen que cornudo vale tanto como *corde nudus*, porque no tiene coraçón ni ánimo para mirar por el honor suyo. El maestro Alexo Vanegas escrive aver leydo en Abraham Abimazra, que escrivió sobre el Levítico, que los maridos de las adúlteras se llamaron cornudos, por ser divulgados luego en los pueblos como si los pregonassen con trompeta, y los judíos usavan en lugar de trompeta el cuerno. También dize que Ovidio, en el *Ibis*, motejó de cornudo a su enemigo con estos versos:

Qui simul impurae matris prolapsus ab alvo est,
Ciniphiam faedo corpore praesit humum.

Cinifia es tierra de los garamantas, en Africa, por donde corre el río Cinifia; en la qual, dize Pomponio, lib. I, que ay unos cabrones de tan grandes cuernos tan derechos, y las puntas para adelante inclinadas al suelo, que quando se inclinan para pazer se les hincan en la tierra; y assí les es fuerça ir reculando hazia tras y aun torciendo el rostro; a éstos figuran los cornudos notorios que les ponen los cuernos delante de sus ojos. El padre Guadix dize ser arábigo, de *carran*, que sinifica el cornudo, a quien su muger haze trayción. Y siendo assí, por más cierto tengo ser hebreo, corrompido de *cherenudo;* porque קרן, *cheren*, vale cuerno. Otros dizen que poner el cuerno, por violar el thoro del casado, tomó ocasión de lo que se cuenta de Mercurio, que en figura de cabrón tuvo ayuntamiento con Penélope, muger de Ulisses; del qual nació el dios Pan con cuernos, y desta manera se los puso al marido. También tiene con esto alguna congruencia, que los antiguos llamaron al marido de la adúltera cabrón; porque la cabra, con su lascivia, no se contenta con el ayuntamiento de un solo macho, y assí llamaron a la tal cabra y al hijo espurio. Dixeron los griegos της μητερος ως αιξ, *matris ut capra*; y un proverbio de los moriscos: «Qual es la cabra, tal es la hija que la mama». Alciato, en el emblema *Villosae indutus*, etc.:

Capra refert scortum, similis fit sargus amanti,
Qui miser obsceno captus amore perit.

En fin, el llamar a un hombre cabrón, en rigor es lo mesmo que dezirle cornudo. Verás a Capachio en sus emblemas, lib. 2, cap. 27, fol. 70. El dezir a uno cornudo es una de las cinco palabras injuriosas, que obligan a desdezirse dellas en común, fuera los que excepta la ley, como se dispone en la ley 2, tít. 10, lib. 8, de la Nueva Recopilación. Sin embargo de todo lo dicho, el nombre de cornudo tiene, según algunos, origen de una avecilla dicha *curruca*, de la qual le dieron el nombre de *corruo*, y corrompido el vocablo cornudo. En el nido désta, el cuclillo pone sus huevos, hurtando los de la curruca y comiéndoselos; de donde nació el dar la vaya a los caminantes los vendimiadores, diziéndoles: cu, cu, significando por esto que el cuclillo, conviene a saber el adúltero, que queda poniendo los huevos en su nido y que él ha de criar los hijos agenos por suyos. Deste modo de pulla haze mención Horacio, lib. I, *Sermonum, satyra* 7:

...Durus
Vindemiator et iniustus, cui saepe viator
Cessisset, magna compellans voce cucullum.

Dize del cuclillo Aristóteles, lib. 6, *De historia animalium*, cap. 7, por estas palabras: *Curucae quoque in nido parit, fovet illa et excludit et educat*. Alciato, en un emblema que empieça *Ruricolas*, etc., *De Cuculo*:

Fert ova in nidos alienos, qualiter ille,
Cui thalamum prodit uxor adulterio.

Vide ibi Claudium Minoem, et Franciscum Sanctium Brocensem, Plinium, lib. 18, cap. 26, Alciatus, lib. 7. Parerg. iuris, cap. 5. Pierium hierogliphicorum, lib. 25. El cornudo que no es sabidor ni consiente en que le ponga su muger los cuernos, como no tiene culpa, no se le da pena; aunque el otro se quexava, y quedó en proverbio ser tras cornudo apaleado. Ninguno déstos dexa de tener algún descuido, o dar a su muger más licencia de la que conviene, y de ser poco recatados les sucede lo que a Agamenón, a Sylla, a César, a Pompeyo, a Quinto Metelo, a Lépido, al emperador Antonino y a otros infinitos príncipes y señores. Otros ay que no pueden dexar de barruntar algo, pero dissimúlanlo, porque hallan quando vienen a su casa lo que ellos no han comprado ni traydo a ella, de joyas, arreos, vestidos. Tiene crédito su muger y pídele dineros para jugar, y dízele que los busque prestados. Éstos virtual y tácitamente dan licencia a sus mugeres para ser ruines, pero no quieren darse por entendidos, demás que una buena amistad, y un rato de conversación. En esta forma llevava en paciencia Ovidio los cuernos, lib. 3, *Amorum*, elegía 14:

Non ego ne pecces, cum sis formosa, recuso.
Sed ne sit misero scire necesse mihi.

Ay otros bellacos, que más parecen rufianes, como lo son de sus mugeres, que maridos; dan lugar a la maldad, huyendo el rostro, y quando veen la suya alborotan la casa y en fin se apaziguan, pagándoselo, y perdona entonces hecho y por hazer. Destos tales era el que estando a la mesa con un hombre rico se hizo dormido quando retoçava con la huéspeda; pero queriendo otro galán pobre entrar a la parte, despertó y le dixo: *Tibi non dormio*; o como el que pinta Juvenal, *Satyra prima*:

Doctus spectare lacunar
Doctus et ad calicem vigilanti stertere naso.

Horacio, lib. 3, *Carminum*, ode 4:

Sed iusa coram non sine conscio
Surgit marito, seu vocat institor,
Seu navis Hispaniae magister
Dedecorum pretiosus emptor.

El marido que es rufián de su muger tiene pena de muerte, por la ley de partida 2, tít. 22, part. 7, aunque oy día viene a ser arbitraria; pero comúnmente los sacan con un casquete de cuernos en la cabeça y una sarta al cuello de otros; y se usa alguna vez irle açotando la muger con una ristra de ajos, por diversas razones. La primera es, porque siendo la condición de la hembra vengativa y cruel, si le dieran facultad de açotarle con la penca del verdugo, le abriera las espaldas, rabiosa de verse afrentada y habiltada por él; o porque los dientes de los ajos tienen forma de cornezuelos o porque la ristra se divide en dos ramales en forma de cuernos. Séase como se fuere, que esta pena, en razón de castigo, ha parecido liviana a algunos, y entre los demás a Palacios Rubios en el párrafo cincuenta, y a Antonio Gómez, en la ley ochenta de Toro, núm. 77. Antiguamente sacavan en París al cornudo por las calles públicas de la ciudad, cavallero sobre una burra, sentado al revés y llevando en la mano por cabestro la cola de la jumenta, y su muger delante llevándola de diestro. Para los que han perdido la vergüença, esta pena y la sobredicha no es pena, sino publicidad de su ruin trato, para que sean más conocidos y freqüentados; pero si tras esto los embiassen a galeras, no se iría todo en risa.

Gonzalo Correas, *Vokabulario de Rrefranes i Frases proverbiales*: Ansí llaman al ke konsiente ke su muxer trate kon otro, i aunke no lo sepa: porke «El kornudo es el postrero ke lo sabe». I es por semexanza de los animales de kuernos. Es la rrazón: porke la muxer buelve la espalda al marido ke aborreze, i la kara a otro ke le agrada más; i de bolver i poner el kogote kontra el marido, parte donde están los kuernos en los animales —i por eso se llaman «kornexales» las dos partes más altas de la kabeza—, poniéndoselos de punta para ke se klave i le aparten, hazen esta gradazión: púsole los kuernos; luego, tiene puestos los kuernos; si tiene kuernos, luego es kornudo. Semexante a esta gradazión i rrodeo es la otra: de llamar «sevoso» al portugés, por «derretido» en amores komo el sevo al fuego. I otras frases ai tales ke se tokan en éstas. Algunos, inorando este fundamento i modo de hablar nuestro, dezían ke: porke es el kornudo ke konsiente, semexante al kabrón, ke no se le da nada ke otro kabrón tome la kabra; i ke de sus kuernos se tomó el nonbre. Otros: porke se pareze al kuklillo, ke este páxaro dizen ke buska los nidos axenos i se kome los guevos i pone allí los suios, i *las* otras aves le krían los hixos; mas esto no viene bien, sino por antifrasi: ke ansí komo este kuko enkornuda i haze ke otros páxaros le kríen los hixos, ansí al pobre kornudo le hazen kriar los del otro, ke se los haze en kasa. Mas la istoria deste páxaro io no la kreo, por ser kontra naturaleza no *kriar* sus hixos. Lo ke en esto ai semexante, es: komenzar el nonbre de «kuko» o «*kuklillo*» por «ku», komo: «kuerno». Al ke kondenavan por tal, le enplumavan i le ponían en la kabeza unas plumas largas. Ia le ponen una sarta de kuernos.

Diccionario de Autoridades: Metaphoricamente se le dá este nombre al marido à quien su muger ofende, bien que lo ignóre, ò lo consienta. Lat. *Curúca, ae.* RECOP. lib. 8, tit. 10. 1.2. Qualquier que à otro denostare, y le dixere gafo ò sodomético, ò *cornúdo,* ò traidór, ò herege, ò à muger que tenga marido puta, ò otros denuestos semejantes, desdigalo ante el Alcalde. QUEV. Orland. Cant. I.

Ser Maestro de Carlos pretendía;
Pero por ser cornúdo *hasta los codos,*
Su testa ángulos corvos esgrimía,
Teniendo las vacadas por apódos.

El *Cornúdo* es el postrero que lo sabe. Phrase proverbial, que se dice regularmente por aquel que ignora, y à quien ocultan lo que le importa saber para precaver el daño que le amenaza: à semejanza del marido que no consiente la ofensa de su mugér, y que la ignóra, siempre procuran precaverse y guardarse de que llegue à su noticia: y assi ò no lo sabe nunca, ò si lo sabe es mui tarde. Lat. *Postremus is qui patitur, agnoscit probrum.*

Academia, 2.ª acep. fig.: Dícese del marido cuya mujer le ha faltado a la fidelidad conyugal. Ú.t.c.s.

Hoy —y a consecuencia de la lucha planteada por la mujer en pro de la justa reivindicación de sus derechos—, quizà pueda empezarse a contemplar la posibilidad de que también pudiera haber cornudas.

Rol de cornudos

¡Cucú, cucú, cucucú!
Guarda no lo seas tú.

Compadre, debes saber
que la más buena mujer
rabia siempre por joder.
Harta bien la tuya tú.

Compadre, has de guardar
para nunca encornudar;
si tu mujer sale a mear,
sal junto con ella tú.

JUAN DEL ENCINA

a

i

cornudo abanderado. Aquel a quien le brilla el cornaje con rutilante brillar, suena a cuerna con melodioso sonar, hiede a cornamenta que apesta, sabe a cornija con alimenticio sabor y tiene consistencia cornal perceptible al tacto. Por las carnestolendas se disfraza de cuerno de la abundancia. Es especie patriota y de espléndida figura.

ii

cornudo abandonado. El que, por no tener paciencia, se encuentra un buen día más solo que la 1. Como en España no hay divorcio, la soledad no le redime del cuerno. Es especie ermitaña y con el pelo de la color de la zanahoria.

iii

cornudo abatido. Cornudo depresivo en clave de sol. Tratándose de funcionarios de administración local o de militares de la escala de reserva, se admite la clave de fa. Es especie de confitería honesta y antigua.

[cxviii] *cornudo absorto.* Cornudo ejecutivo.

iv

cornudo acaponado. Cornudo figurín de voz atiplada. Es especie algo tartaja, que frecuenta el trato de las señoritas de conjunto.

[lxxxix] *cornudo acatador de los designios de la Divina Providencia.* Cornudo culpador.

v

cornudo acelerado. O acelerante o precipitador. El que, ignorando el premio que le espera, se apresura a poner a su esposa en trance peligroso. Tiene parentesco con el cornudo precipitado. Es especie que juega duro, pero a lo loco y sin saberlo.

[v] *cornudo acelerante.* Cornudo acelerado.

vi

cornudo acojonado. El que tiene plena conciencia de que, si habla, le dan con la mano y cobra candela arreada por la cónyuge. Es especie engatillada y amarga.

[cxliii] *cornudo ácrata.* Cornudo gochista.

vii

cornudo adamascado. El que hubiera preferido ser cardenal y no renuncia a la idea de llegar a serlo algún día. Es especie sumamente finchada y que milita en la derecha tradicional.

[lix] *cornudo adaptado.* Cornudo catequizado.

viii

cornudo adherente. Se corresponde, dentro de la cofradía del cuerno, con el pelma de igual calificativo estudiado por Huxley. Es especie de trato difícil y presencia no demasiado cómoda.

ix

cornudo adorado. Es el amado en silencio por quien le pone los tarros en suplencia de la imposibilidad de conseguir su amor. Dícese que, en el entierro de una dama, figuraban en el cortejo fúnebre su marido y su amante; éste daba tales muestras de desconsuelo que aquel, tomándolo del brazo, le dijo:

—No te pongas así; mantén la calma, lo más probable es que me case otra vez.

Es especie cariñosa y de buenos principios y, en la actitud de sus enamorados y misteriosos cornificadores, los psicoanalistas suelen ver síntomas ciertos de constitución adulterina.

[clxiii] *cornudo aferrado*. Cornudo inasequible al desaliento.

x

cornudo agrícola. El que se adorna la cuerna con espigas cereales. Es especie retozona, brincadora y amiga del agua clara del manantial. Los tratadistas consideran dos subespecies, a saber: [x'] *cornudo agrícola de Cervantes*. O de la tierra de ciervos e imaginario país de la cornudería que así le llaman; no se sabe bien donde está y, en todo caso, es topónimo repetido. Se le menciona en la *Comedia Florinea*, y el maestro Correas no llama de esta guisa al paisaje sino al paisano, v. subespecie siguiente.
[x''] *cornudo agrícola de Cornualla*. O del imaginario país del cornudaje así llamado; es región situada en el extremo sudoccidental de la Gran Bretaña y de ella se habla en la *Carajicomedia*, Copla. ccxv. de juan de mena y desta cuenta. lxxxv:

> Venidos al campo / de cuernos patētes
> a donde infinitos / auia desiguales
> vi cornualla: que cañauerales
> pensauā que eran: las mas delas gētes
> mas sobre los otros / alli prefulgentes
> vimos a vno: lleno de prudencia
> del qual pregūtādo / con gran reurencia
> respuso mi vieja: los metros siguiētes.

También se le nombra en la *Comedia Florinea*, Scena XI: Si ansi lo guias, tú serás vezino de Cornualla y tendras posesion en Ceruantes conoscida, a donde andes a caça de cuclillos.

El maestro Correas, *Vokabulario de Rrefranes i Frases proverbiales,* no llama de este modo a la comarca sino al comarcano: Kornualla. Kuklillo. Zervantes. Nombre kon ke se motexa de kornudo, komo kon «ziervo» i «kabrón».

xi

cornudo agropecuario. Cornudo bucólico abierto a la llamada del reino de los animales domésticos. Es especie vital, aunque quizá no tan cascabelera como la anterior.

xii

cornudo a la borgoñona. El que en los usos y costumbres, y en la indumentaria, tocado, arreos y demás adornos de su persona, sigue la moda impuesta por los caballeros de la Borgoña. Es especie petimetre y algo bronquista. Pudieran caberle los siguientes versos de Quevedo:

Mas esta dignidad es tan honrada,
que está en sustancia propria convertida,
y hombres hay que la tienen jubilada;

porque es su cornucopia tan florida,
que trae desvanecido su riqueza
al que tiene este erario de por vida

más que el pavón, humilde a su belleza,
mirándose los pies con garras feas,
como Acteón mirando su cabeza.

xiii

cornudo a la égloga. El que se adorna la cuerna con rositas de pitiminí. Es especie amorosa, si bien ligeramente cursi.

xiv

cornudo al aerosol. Aquel a quien las raicillas y demás ramificaciones de la cuerna pueden producirle trastornos en las vías altas respiratorias, tan sólo sanables a base de una terapéutica de inhalaciones sutiles y penetrantes. Es especie aprensiva, que carraspea al levantarse por las mañanas.

xv

cornudo a la federica. El que en los usos y costumbres, y en la indumentaria, tocado, arreos y demás adornos de su persona, sigue la moda imperante en tiempos de Federico el Grande de Prusia. Es especie latosa y orgullosa, que desayuna cascarilla.

xvi

cornudo al ajedrez. O recíproco, concepto que Fourier apoya en la venganza (supuesto al que me permito llamar vengador). El que es engañado por su mujer con el marido de su amante. La situación no es desusada entre matrimonios muy amigos, y de ella no todos los protagonistas tienen completa noticia. Caso práctico: Juan está casado con Luisa, y Pedro con María Francisca; Juan se acuesta con María Francisca, cosa que Pedro y Luisa ignoran, y Pedro hace el amor (jode a calzón quitado) con Luisa, lo que ni a Juan ni a María Francisca les pasa por la cabeza; si se rompe el relativo secreto, la situación pierde encanto y puede caerse en la promiscuidad. Dícese que, estando Juan en la cama de María Francisca, sonó el teléfono que ella tenía en la mesa de noche; lo descolgó y, tras haber hablado, explicó al amante:

—Nada; es Pedro, que me dice que no lo espere, que se queda a cenar contigo.

Cabe en lo posible que Pedro le llamara desde el teléfono de Luisa. Es especie de cierta relevancia en el mundo aristocrático (sobre todo entre títulos pontificios) o, al menos, económicamente fuerte (sobre todo si hicieron su fortuna trampeando con licencias de importación).

xvii

cornudo a la moscovita. El de cuerna acebollada. Es especie dogmática, alucinada y trascendente, que fuma tagarninas.

xviii

cornudo a la parisién. El que lleva el pelo cortado tipo cepillo y confunde los solsticios con los equinoccios y el culo con las cuatro témporas. Es especie tontorrona y de escaso interés, que padece de golondrinos.

xix

cornudo a la provenzal. El que en los usos y costumbres, y en la indumentaria, tocado, arreos y demás adornos de su persona, sigue la moda dictada por los trovadores y felibres de la Provenza. Es especie de pulso y púa, que mejora cuando se le sobrealimenta con sopas de tortas de Alcázar en leche de la legendaria cabra montés Juanita.

xx

cornudo albarazado. Puede ser el mixto de chino y jenízara, o al revés; aclaro que chino es el hijo de indio americano y zamba, o al revés, y que zambo es el producto de negro e india americana, o al revés; también aclaro que jenízaro es la rastra de cambujo y china, o al revés; que cambujo es el resultado del coito habido entre zambaigo y china, o al revés, y que zambaigo es el fruto del cruce de indio americano y china, o al revés. Entre europeos occidentales suele identificarse con el cornudo mil leches, aunque quizá con no excesivo fundamento. Asimismo se le dice al mixto de cabrón y mona, en concepto fijado por Rafael Alberti. Es especie a la que no suele preocuparle la genealogía.

xxi

cornudo alborotador. El que se desahoga con el escándalo que, sin pasar jamás a mayores, aboca en el armisticio que no le absuelve del cuerno pero sí de la ira. Es especie que se amansa con un café cortado y, aún mejor, con un café con leche y una ensaimada rellena de cabello de ángel.

xxii

cornudo alcohólico. El que bebe para olvidar. Si abusa de la bebida, llega a perder la noción de aquello de lo que quería olvidarse y sigue bebiendo por inercia y sin recordar qué es lo que aspiraba a no recordar jamás. Es especie gorrona y trasnochadora.

xxiii

cornudo alérgico. Aquel a quien, con la polinización, se le inflaman los cuernos. Es especie de cornudería distinguida y dada a fármacos extranjeros.

xxiv

cornudo al grito de «¡coño, la Pascuala!». Cornudo pasmado pero no mudo. Es especie de carajo en confusa forma de calamar, lo que no quiere decir que la lechaza de su lechetrezna o gónada de la leche sea de tinta china.

xxv

cornudo a lo tripa de Jorge. O cornudo que estira y encoge. El de reacciones insospechadas y que fluctúan según sople el cuadrante. Es especie de quisquillosa pejiguera, muy susceptible.

xxvi

cornudo a lo yorado Carlos. El que se peina con gomina argentina y se consuela escuchando tangos de Discepolín. Es especie atorrante y que, como el cornudo Garufa y el cornudo rubia Margot, se da bien en la banda de estribor (según se entra) del Río de la Plata.

xxvii

cornudo al que se le abren los ojos. El que, con no poca sorpresa, acaba comprendiendo que lo es. Es especie dominical vespertina a la que el cónyuge encornuda mientras él enronquece llamándole cabrón al árbitro que no pita penaltys evidentes.

[cclxi] *cornudo altanero*. Cornudo pirenaico.

xxviii

cornudo alunado. Cornudo jabalí de colmillo retorcido; tiene malas inclinaciones y es sumamente peligroso. Es especie que goza de escasas simpatías, si bien está acostumbrada a desaires que —según dice— se pasa por la entrepierna.

[lix] *cornudo amansado.* Cornudo catequizado.

xxix

cornudo ametralladora. Cornudo naranjero de mayor alcance. Contra él, no hay defensa. Es especie agobiadora, que da buenos jugadores de cané y de gilé.

xxx

cornudo amnistiado. Aquel a quien se borra el cuerno. Es especie alegre aunque, con frecuencia, reincidente.

[cxliii] *cornudo anarquista.* Cornudo gochista.

[cli] *cornudo andrajo.* Cornudo guiñapo.

xxxi

cornudo angélico. El que al encontrarse a su mujer en la cama con un vecino, lo atribuye a falta de calefacción. Es especie ejercitadora de la caridad: convierte infieles, regala boinas y calzoncillos a los huérfanos de las riadas, da tres pesetas mensuales a la Cruz Roja, etc.

xxxii

cornudo ánima del purgatorio. El suplicante mágico que, para mayor escarnio, duerme de camisón. Es especie cazcaleadora y tramposa y la gente se alegra de su desgracia.

[cclxxxii] *cornudo anticipado.* Cornudo prenupcial.

xxxiii

cornudo apóstata del buen sentido. O tránsfuga del buen sentido. El que llega a cornudo tras haber pregonado a voces que el matrimonio es cornijal del que nadie se libra. Es, en cierta manera, la contrafigura del defensor del vínculo, y especie que no entiende de recto modo lo que se dice en el *Libro de los designios.*

xxxiv

cornudo aprovechador de los restos. O banal o rebuscador. El que se conforma con lo que los amantes de su mujer le dejan. Es especie propia de paranceros económicamente débiles.

[cccxxiv] *cornudo Argos.* Cornudo sutil.

[cclviii] *cornudo aristotélico.* Cornudo peripatético.

xxxv

cornudo arrepentido. El que, sin previo aviso, toma la decisión de dejar de serlo y a todos sorprende con su falta de mansedumbre. Es especie de arrancada súbita aunque no larga, pudiera ser que debido a su miopía.

[cccxxvii] *cornudo arribista.* Cornudo testaferro.

[cclxxxviii] *cornudo a secas.* Cornudo puro y simple.

xxxvi

cornudo aséptico. El que se coge la cuerna con un papel de fumar. Es especie agilipollada y de estremecido y escocido contoneo.

xxxvii

cornudo augur del sexo de los niños. El que lo acierta: si se le infarta el cuerno de estribor, es niño; si el de babor, toca niña. Es especie de mucha confianza, aunque no se recuerda que haya producido jamás ningún cabo de gastadores.

[cxxxvi] *cornudo automotriz*. Cornudo fogueteiro.

[cccxxxii] *cornudo autozaheridor*. Cornudo traslaticio.

xxxix

cornudo autumnal. Cornudo angélico al que, en llegando el otoño, le empieza a crujir la cuerna. Es especie que canta, con melodiosa voz, *Parle-moi d'amour*, *Sous les ponts de Paris*, *L'âme des poètes* y, mejor que ninguna otra, *Les feuilles mortes*.

[lxix] *cornudo auxiliar*. Cornudo coadjutor.

xl

cornudo avechucho. El cornudo drope que, además, lleva la solapa llena de lamparones y los hombros plagaditos de caspa. Es especie a la que suele abandonar el desodorante.

xli

cornudo azufaifa. O yuyuba. El que sana las afecciones de la vejiga y vías urinarias sin más que lamerle la cuerna. Es especie terapéutica, útil para la buena marcha de los municipios.

b

[xliv] *cornudo bajo tutela.* Cornudo bragazas.

[xxxiv] *cornudo banal.* Cornudo aprovechador de los restos.

Fuera de concurso

cornudo bañado. Especie inventada por Unamuno y, tan fantasmal, que ni existe siquiera, ya que el cucú jamás lo es por bañarse o dejar de bañarse sino por otras diferentes y conocidas razones. La voz catalana banya, *equivale a la palabra castellana* cuerno. *Lo digo porque el rector salmantino, que no sabía catalán, cuando se metió a traducir el poema* Vaca cega, *de Maragall, leyó* embanyada *por* bañada *(verso 18). El poeta barceloní, que no sabía castellano, se lo aclaró —al tiempo de confundirse en otro punto— en carta de 26 de noviembre de 1906: «...quiere decir* encornada, *de cuernos,* banyes, *en catalán; pero, es claro,* encornada *no es castellano.» ¡Vaya por Dios! Emociona pensar en la recíproca ignorancia de ambos próceres.*

[cciii] *cornudo belicoso.* Cornudo matón.

xlii

cornudo benigno. O tratable. El que, guiado por sus bondadosas inclinaciones, se sacrifica en aras de la paz del hogar. Es el cornudo mejorado por sentimiento, que no por raciocinio, y especie que recita las *Rimas* de Bécquer de memoria, pero metiendo morcillas.

[cii] *cornudo blenorrágico.* Cornudo de purgación.

xliii

cornudo bonachón. Para Fourier, es el cornudo cortés. Lo entiendo mejor como el que recrimina dulcemente a su esposa sorprendida en flagrante adulterio, diciéndole:

—¡Pero, mujer! ¿Otra vez jodiendo?

Es especie de leves inclinaciones faufaus, que se contrapean con piramidón.

xliv

cornudo bragazas. O bajo tutela o pupilo o tutelado. El casado con mujer adúltera que, sobre llevar los pantalones en el matrimonio, lo tiene convencido de que jamás podría arreglarse solo. Es especie muy adecuada para el ejercicio de la terapia que dicen masturbación colectiva o de grupo, recíproca o no.

[cciii] *cornudo bravucón.* Cornudo matón.

xlv

cornudo bromista. O burlón. El que, ignorante de su propia circunstancia, bromea sobre los cuernos del prójimo. Es especie que acostumbra a terminar sus días en el asilo de ancianos desamparados, donde sonríe a las monjitas para que no le peguen siempre dolorosas coces en el epiplón.

xlvi

cornudo Brown-Sequard. El que padece corniparaplejía con cornianestesia del lado opuesto. Es especie digna de compasión, que suele alimentarse de pájaros insectívoros en escabeche y con mucho azúcar.

xlvii

cornudo bucólico. El que se adorna la cuerna con rositas silvestres. Es especie casquivana por lo tranquilo, que lee a fray Luis de León y observa el misterioso zigzag de las mariposas en celo sorteando las rojas amapolas.

xlviii

cornudo buen vividor. Es el cornudo optimista de Fourier. Lo entiendo mejor como el que todo lo ve, o finge verlo, de color de rosa, pero siempre a cambio de algo. Dícese que una mujer casada con un humilde empleado, le pegaba los tarros para ayudarle a sacar adelante a la familia. Trataba muy bien al marido y procuraba servirle de comer manjares tan selectos como inadecuados a su posición —caviar iraní, paté de Estrasburgo, faisán trufado, etc.—, todo ello regado copiosamente con los mejores vinos. Un día, extrañada de que el marido no encontrase raro tanto lujo y derroche, pensó:

—Voy a darle un escarmiento, para que al menos sepa quién trae el dinero a casa; cuando llegue a comer, le pondré delante lo que le corresponde con arreglo a su sueldo.

Cuando el marido llegó derrochando simpatía, como siempre, dijo a la esposa:

—Petrita, ¿qué le vas a dar de comer hoy a tu maridito?

La esposa le sacó una pescadilla frita y medio tomate y el marido, hecho un basilisco, pegó un puñetazo en la mesa y rugió:

—¡Petra! ¿Tú crees que esto es comida para un cornudo?

Es especie ciclóstoma y análoga a la lamprea, de la que habla Quevedo en los versos que paso a copiar:

> Dícenme, don Gerónimo, que dices
> que me pones los cuernos con Ginesa;
> yo digo que me pones casa y mesa,
> y en la mesa capones y perdices.

[cccxxxvii] *cornudo bunkeriano.* Cornudo ultra.

[xlv] *cornudo burlón.* Cornudo bromista.

xlix

cornudo busántropo. El que, siendo cabrón, se cree buey. Es especie hedionda, que brama en falsete.

c

l

cornudo cagón. Cornudo guiñapo que no ha superado la fase analsádica; suele ser cuclillo ordenado, tacaño, obstinado, pesimista y proclive a escagarruciarse por la pierna abajo con la sola idea de limpiarse, a renglón seguido, con suma pulcritud. Es especie a la que suelen perseguir a palos los consumeros.

[cli] *cornudo calandrajo.* Cornudo guiñapo.

li

cornudo calderoniano. Cornudo centinela que propende a hablar en verso y a utilizar la ancestral sabiduría paremiológica. Es especie de educados modales, que suele usar reloj de bolsillo con leontina de oro. Los ejemplares perfectos, hasta gastan botines de color gris perla.

lii

cornudo camaleón. Cornudo hipócrita de escasas luces. Puede considerarse como su caricatura. Es especie cimarrona y vegetariana, que sabe diversos modos de guisar las collejas.

cornudo canonizado. O de bien. Quevedo lo describe en la poesía siguiente:

Un cornudo de bien, canonizado,
siempre suele ser recio de cabeza,
y aunque no ha de ser gordo, es muy cargado.

Tiene en la condición mucha nobleza,
y siempre con amigos tan partido,
que les da su mitad con gran llaneza.

Es humilde sujeto y comedido
y un poco más cobarde que valiente,
porque en cualquier pendencia sale herido.

Sólo tiene el señor que es impotente;
y pienso que son causa de este vicio
las rechazas que tiene su simiente.

El hace de su honra sacrificio,
y siendo el matrimonio sacramento,
en su casa le tienen por oficio.

Es hombre y es venado y es jumento,
porque de todos tres tiene tomado
las armas, la razón y el sufrimiento.

No se sabe que sea desdichado,
porque tiene en su casa la ventura,
que como a huésped suyo le ha tratado.

Siempre suele ser alto de estatura,
medido de los pies a la cabeza,
porque de allí les hallo otra figura

contra el orden que dio Naturaleza,
siendo pincel la infamia, porque fuese
un monstruo el que se rinde a tal flaqueza.

Es especie que ya queda definida en las nueve estrofas que acaban de decirse.

[cccxlviii] *cornudo cantamañanas.* Cornudo vivalavirgen.

liv

cornudo carabinero. Supuesto inadmisible ya que, como bien dice Valle Inclán en *Los cuernos de Don Friolera,* en el Cuerpo de Carabineros no hay maridos cabrones.

lv

cornudo caracol. El aficionado a la helioterapia, esto es: el que, al solearse la cuerna, se solaza. Es especie contemplativa que, salvo cuernos, no tiene nada en la cabeza.

[lvi] *cornudo carnavalesco.* Cornudo carnestolendas.

lvi

cornudo carnestolendas. O carnavalesco. El que supone que el antifaz de quien lo cornifica puede ser patente propiciatoria de su resignación. Es especie de buen conformar, quizá algo estreñida.

[ccciii] *cornudo cascaciruelas.* Cornudo robaperas.

lvii

cornudo casto. Cornudo en desgracia que lleva su situación con paciencia; suele ofrecerla como sacrificio por el fomento del clero indígena o en pro de la liberación del obrerito cristiano de detrás del telón de acero. Es especie de profundas convicciones religiosas.

lviii

cornudo catecúmeno. El que supone que las buenas costumbres y los rectos principios son contagiosos y no admite el supuesto contrario. Tiene cierta semejanza con el cornudo fatalista, si bien suele ser más puritano. Es especie digna de figurar en el *Martirologio Romano.*

lix

cornudo catequizado. O adaptado o amansado o convertido o domado. El que empezó bravucón pero se fue calmando durante el rodaje; al llegar a la madurez, suele ser encantador. Es especie tomatera, que se fabrica en serie.

[cccxxiv] *cornudo cauteloso.* Cornudo sutil.

lx

cornudo cenestésico. El que tiene la sensación general del propio cuerno, omisión hecha de que exista o no exista. Es especie que, los domingos y fiestas de guardar, iza un torrotito medio portugués, carmesí cruzado en banda por un burel de sinople.

lxi

cornudo cenestópata. El que tiene alterada la sensibilidad del propio cuerno, real o ficticio, y llega hasta la alucinación. Es especie más penosa que dolorosa; a sus concornes mejor les fuera no haber nacido o, subsidiariamente, más les valdría que los hubieren arrojado a la mar y sus tiburones y otros monstruos —todavía en edad tierna e inocente— con una piedra de molino atada al cuello.

lxii

cornudo centinela. O conservador o regenerador. El que, sintiéndose vigía y erigiéndose en celoso guardián del honor del prójimo, carece de tiempo para velar por el suyo. Es especie peligrosa e individuo al que la lectura de Calderón de la Barca conforta y robora. El hacerle el salto es tan arriesgado como emocionante. Tiene evidente parentesco con el cornudo calderoniano.

[xciii] *cornudo ceremonioso.* Cornudo de buenos modales.

[cccxlviii] *cornudo chafandín.* Cornudo vivalavirgen.

lxiii

cornudo chinche. Cornudo minucioso e insistente. Es especie capaz de atacar los nervios al sosegado y venusíaco lucero del alba.

lxiv

cornudo chingaquedito. El que se afila la cuerna a la chita callando. Es especie por lo común cornigacha, taimada y denigratoria, que lleva su circunstancia con humildad tan excesiva que raya en el descoco.

lxv

cornudo chuchumeco. O gurrumino. Cornudo figurín bajito; suele tener aficiones heráldicas y numismáticas. Es especie a la que se le bajan los humos con una infusión de la yerba que dicen ceragallo.

[cciv] *cornudo chupacirios.* Cornudo meapilas.

lxvi

cornudo churrigueresco. El de cuerna exageradamente ornamentada. No deja de tener sus clientes, pese a que el cuerno acaba resultándole incómodo y poco funcional. Es especie que siempre viste de colores chillones y, por lo general, combinados con escaso acierto.

lxvii

cornudo chusquero. O de la escala de reserva o patatero. El que accede a la cornificación a fuerza de paciencia y buena conducta y sin recibir el favor de que le sea condonado un solo grado. Es especie que antepone la voluntad a cualquier otra virtud o característica.

[lxxxviii] *cornudo ciego y sordo.* Cornudo crédulo.

lxviii

cornudo cinegético. El que se adorna la cuerna con plumas de perdiz. Es especie de high-life venida a menos y que carece de norma moral.

lxix

cornudo coadjutor. O auxiliar. El que aparece poco por su casa pero, cuando lo hace, llega derrochando alegría y descorchando botellas de champán. Resulta muy cómodo aunque, a veces, cuando bebe demasiado, se excede en la zalamería y cuenta chistes. Tiene parentesco con el cornudo optimista. Es especie que, a poco de tratada, deviene latosa.

[ccxli] *cornudo coaligado*. Cornudo pactante.

[cclxxx] *cornudo cocodrilo*. Cornudo pregonero.

[ccliv] *cornudo compadre*. Cornudo pater familiae.

[ccxi] *cornudo compensado*. Cornudo mimado.

lxx

cornudo comunista. Cornudo socialista en grado superlativo; suele ser muy serio y poco amigo de bromas. Es especie que se toma el reglamento muy a los pechos.

[lxxxviii] *cornudo con cataratas*. Cornudo crédulo.

[cclxxvii] *cornudo condenado*. Cornudo preconizado.

cornudo con pintas. O de cuantía. El que lo es en grado sumo y hallando tanto deleite en serlo que hasta propicia el que la esposa lo cornifique; para ello la viste de gala, canta sus alabanzas ante los posibles suplentes, viaja mucho y presume de moderno. Suele ser ganado manso, huidor de trabajos y complicaciones. Si saca provecho de su trance, puede devenir en cornudo buen vividor o, al menos, ser pariente espiritual suyo. Es especie de muy burgués escarnio y la plebe suele llamarle cabrón, que es forma tan cruel como innecesaria y desconsiderada. El *Cancionero de obras de burlas prouocãtes a Risa* arranca con la poesía titulada *Comiença vn aposento que se hizo enla corte al papa alixãdre quãdo vino legado en Castilla: el qual aposento fue hecho enla persona de vn ombre muy gordo llamado Juuera,* de la que son los siguientes versos:

> Y dexo vn entresuelo
> para el obispo durgel
> que cupo tambien en el
> como cupiera vn mochuelo
> Y el cabrõ de miçer prades
> descornado cabiz tuerto
> saco lleno de ruindades
> y otro tropel dabades
> enlas camaras del huerto.

Quevedo veía cabrones por todas partes, aunque la voz no sea tan frecuente en su lengua como cornudo. De él es el soneto del que paso a copiar los cuatro primeros versos:

¿Qué te ríes, filósofo cornudo?
¿Qué sollozas, filósofo anegado?
Sólo cumples, con ser recién casado,
como el otro cabrón, recién vïudo.

lxxii

cornudo consentido. El que aguanta marea por la razón que fuere; es más triste que el cornudo con pintas y la plebe suele llamarle cabrón, v. la glosa que quedó hecha al cornudo con pintas. Es especie adecuada a funcionarios con alma de cristobita. Algunos contribuyentes arbitrarios le llaman cabestro, y de Quevedo es la letrilla satírica de la que copio los cuatro versos siguientes:

Tendrá la del maridillo,
si en disimular es diestro,
al marido por cabestro
y al galán por cabestrillo.

[lxii] *cornudo conservador.* Cornudo centinela.

lxxiii

cornudo constelación. El que, al cagarse de miedo, pinta la Osa Mayor, Andrómeda o Casiopea (entre otras), si se zurra en el hemisferio boreal, o el Can Menor, Orión y el Centauro (entre otras), si se cisca en el hemisferio austral. Es especie deleznable a la que las visitas, cuando se emborrachan con anís dulce, le vomitan detrás del piano y le ponen toda la casa perdida.

lxxiv

cornudo continental. El que funciona sin huevos ni tocino. Es especie barata y propia de países en vías de desarrollo.

lxxv

cornudo contra natura. El cornificado por lesbiana; un tribunal de honor lo expulsaría de la cofradía del cuerno. Es especie de la que más vale ni hablar siquiera.

lxxvi

cornudo converso. O marrano. El que descubre los encantos del cuerno y se erige en apóstol de la situación creyendo que los demás la ignoran. No debe confundirse con el cornudo adaptado o catequizado o convertido. Es especie muy pagada de la pública consideración.

[lix] *cornudo convertido.* Cornudo catequizado. No debe confundirse con el cornudo converso o marrano.

lxxvii

cornudo con vocación de supervivencia. O por causa emergente. Es el cornudo de emergencia o de salvaguardia de Fourier, que sólo accede al cuerno por necesidad de salvar la vida o la hacienda. Es especie a la que no preocupan los signos externos, característica que no nos releva de advertir que jamás debe tomársele por el cornudo de signos externos.

lxxviii

cornudo coñazo. El que no consigue hacerse simpático aunque lo intente. Es especie a la que se debe prestar ayuda por misericordia.

lxxix

cornudo cordero del sacrificio. El de inclinaciones y hábitos mansos y que, por robusta que fuere su cuerna, con más y mejor holgura admite la comparación con el ganado lanar u ovino que con el cabruno o caprino. Es especie hacendosa, a la que suele gustar el teatro de don Jacinto Benavente.

lxxx

cornudo corintio. El de cuerna de diez módulos rematada en caulículos y hojas de acanto; sólo es peligroso si se llama Luisito Cerulleda Gobantes. Es especie clásica y que habla con propiedad.

lxxxi

cornudo corneta. Para Fourier es el que, harto del amor conyugal, cede el paso al amante de su mujer a cambio de que ésta no le dé más la lata con extemporáneas exigencias. Es especie escasamente retórica y, en cierto sentido, redundante.

lxxxii

cornudo cornetín. Cornudo pregonero atenorado. Es especie más bien ridícula y tirandillo a sarasa.

lxxxiii

cornudo corojo. El que luce la cuerna en forma de palmera. Es especie que cría hermosos ejemplares, aunque quizá no muy corpulentos.

lxxxiv

cornudo coronado de pámpanos y rosas. Un primo de Rubén Darío escribió los versos siguientes:

Plinio llama Sardinias funda bellicosas
a estas islas fragantes que ignoran los inviernos.
Yo sé que, coronados de pámpanos y rosas,
aquí a un tiempo danzaron ante la mar los cuernos.

Es especie punto menos que mitológica; algunos concornes, los días de precepto, gastan falo rococó y disparan fuegos de artificio.

lxxxv

cornudo cortés. O tolerante. El que, en el trato social, no hace distinción alguna entre quien le pone los cuernos y quien no. Es especie aficionada a recitar en voz alta *l'Hérodiade,* de Mallarmé, y a hincharse de postres de cocina: alfandoque, leche frita, charamusca, natillas y otros deleites.

lxxxvi

cornudo cosmopolita. El que es cornificado por tal cúmulo de galanes foráneos que carece materialmente de tiempo para distinguir entre quienes le ponen los cuernos, quienes se los pusieron y ya no se los ponen, quienes no se los han puesto pero se los pondrán y quienes no se los pusieron ni piensan ponérselos nunca. Es especie fronteriza o que, al menos, lee *Le Monde.*

lxxxvii

cornudo crapuloso. O drope o granuja o villano. El de desecho de tienta y cerrado a quien la esposa, por lo común bella y distinguida, pone los cuernos por imposibilidad material de mantener su virtud ante el asedio de quienes piensan que hubiera merecido mejor suerte. Es especie hideputa.

lxxxviii

cornudo crédulo. O ciego y sordo o con cataratas. El que, sobre ser engañado por su esposa, se deja engañar también por sus embustes que incluso celebra con jolgorio. (Quizá convenga dejar dicho —siquiera sea de pasada— que la suplencia de la locución *poner los cuernos* por el verbo *engañar* implica muy huidiza noción de la que pudiera colegirse que, si la adúltera canta, el marido deja de ser venado, lo que no es del todo verdadero.) La que ahora nos ocupa es una de las especies más cómodas y confortables para el cardíaco o el no aficionado a las emociones fuertes.

lxxxix

cornudo culpador. O acatador de los designios de la Divina Providencia. Su noción es doble: por cuanto acata el destino, pero culpa a la mujer —y no al destino— de sus cuernos (ciertos o posibles). En algún modo, es concepto emparentado con el de cornudo fatalista. Es especie de glande peguntoso y probretonas y muy limitadas apetencias.

xc

cornudo curado. El que se cura en salud y bromea sobre los cuernos de los demás; se distingue del cornudo bromista en que no ignora su situación. Es especie que se finge lela sin serlo del todo.

d

[cclxxiv] *cornudo de ambos mundos*. Cornudo póstumo.

xci

cornudo de alto vuelo. O trascendente. Es concepto fijado por Fourier, quien lo considera como el más hábil de toda la prolija cofradía del cuerno: el que, maridado con mujer bellísima, la exhibe con ostentación pero sin prodigalidad para consentirla, llegado el momento, a cambio de un pingüe negocio, una embajada o una suculenta renta vitalicia. Por fuera es muy digno y solemne, quizá para no depreciar la mercancía. Es especie que juega al golf y pasea en yate; por el invierno, juega al bridge y asiste a recepciones.

[liii] *cornudo de bien*. Cornudo canonizado.

xcii

cornudo de buena masa. El de pazguatas inclinaciones y manso proceder. Es el maridillo blando de Quevedo:

> Un siglo ha bien hecho —dijo—
> que a los maridillos blandos,

que llaman de buena masa,
sus mujeres les hojaldro.

Es especie bonancible y que da suerte a quien le acaricia la cuerna.

xciii

cornudo de buenos modales. O ceremonioso. El que jamás abdica de la urbanidad. Si se encuentra a su mujer yaciendo con un vecino, recrimina con suma cortesía al jodedor de lo propio:

—Su conducta no es correcta, caballero. Observe que la señora que tiene debajo es mi esposa, según puedo demostrarle documentalmente.

Es especie cuyos cofrades, de pequeños, fueron a colegios de pago distinguidos: los jesuitas, los marianistas o el Instituto Escuela, según el ideario familiar.

xciv

cornudo de campo y playa. El que lo mismo vale para un roto que para un descosido. Es especie deportiva e intrascendente.

xcv

cornudo de castigo. El que, a guisa del condón de la misma especie, se forra la cuerna con una funda de superficie rugosa o áspera. Es especie vengativa, que sueña con transmitir estafilococos, estreptococos y gonococos a cornadas.

xcvi

cornudo de confiada evidencia. El casado con mujer cuya fealdad le tranquiliza del cuerno; no siempre lo evita, dado que existen cornificadores de buena boca que no ponen reparos y se conforman con lo servido. Es especie de mal ángel y aún peor fario.

[lxxi] *cornudo de cuantía.* Cornudo con pintas. El hecho de que haya querido encerrársele en el ghetto, por suponer que era judío, no me parece razón bastante para considerarlo como especie. Quevedo le dedicó los versos siguientes:

> Y sepan desde hoy que hay diferencia
> de un cristiano a un cornudo de cuantía,
> y que fuera muy grande providencia
>
> que, como en Roma tienen judería,
> para apartar esta nación dañada,
> tuviera este lugar cornudería.

[lxxvii] *cornudo de emergencia.* Cornudo con vocación de supervivencia.

xcvii

cornudo defensor del vínculo. O propagandista. El que, acérrimo partidario del matrimonio, anima a casarse a los demás ignorando que pueden llegar a ser tan cornudos como él. Es, en cierto modo, la contrafigura del apóstata del buen sentido, y especie irresponsable y que acaba dejando deudas (todas por encima de los ochenta duros).

[lviii] *cornudo de gracia.* Cornudo catecúmeno.

xcviii

cornudo de huerta. Cornudo de regadío exquisito. Es especie sibarita y merecedora de muy atento estudio.

[lxvii] *cornudo de la escala de reserva.* Cornudo chusquero.

xcix

cornudo demócrata. El que se rige por la sabia máxima de Luis Alvarez Petreña, el personaje de Max Aub: cada hombre, un voto; cada mujer, un coño. ¡Si esto no es democracia, que venga Dios y lo diga! Es especie moderada y poco amiga de romper faroles y escaparates a chinazos.

c

cornudo democratacristiano. El berrendo de cornudo demócrata y cornudo meapilas, con cierta preponderancia del segundo. Es especie indecisa y, por ende, partidaria de templar gaitas.

ci

cornudo depresivo. Cornudo psicosomático que suele culpar de su circunstancia a los demás; no va descaminado ya que, sin pija prójima, no hay cuerno propio. Es especie que procede con muy inadecuada falta de rigor lógico.

cii

cornudo de purgación. O blenorrágico. El que aloja al *micrococum gonorrhoeae* de Neisser en los cuévanos del sentimiento. Es especie asquerosa y purulenta.

ciii

cornudo de regadío. El dadivoso pero exigente. Necesita sumos cuidados y, si se le prestan, sabe corresponder con gratitud cumplida. Es especie de hábitos previstos, de los que cuesta mucho trabajo sacarla.

[lxxvii] *cornudo de salvaguardia*. Cornudo con vocación de supervivencia.

civ

cornudo descabalado. El que toma al cuerno por el rábano y sus hojas. Es especie tirando a pasmadilla, con la que no conviene mantener demasiado trato.

cv

cornudo descalcificado. El de cuerna blanda y enfermiza. En cierto modo, puede entenderse como el antípoda del cornudo wagneriano. Es especie italianizante a lo Conte di San Bonifacio.

cvi

cornudo de secano. El de cuerna dura y resistente, aunque no muy desarrollada. Es especie peculiar de las economías agrícolas pobres y mesetarias.

[clii] *cornudo desertor.* Cornudo harto.

cvii

cornudo desesperado. Fourier lo identifica con el salvado; más bien creo que es el cornudo que se mesa la cuerna en lugar de la barba. Es especie caballeresca confundida, muy versada en canto gregoriano.

[cclxxvii] *cornudo designado.* Cornudo preconizado.

cviii

cornudo de signos externos. El que se adorna la cuerna con las pompas y vanidades de este bajo mundo. Si un presidente de diputación provincial es cornudo (supuesto improbable), suele pertenecer a esta especie que se diagnostica por su proclividad al oropel.

cix

cornudo de sopa boba. O por el puchero. Cornudo buen vividor, a escala diocesana. Es especie de no muy amplios horizontes.

cx

cornudo despabilado. Fourier lo identifica con el pasmado; más bien creo que es aquel a quien el cuerno despabila las entendederas. Es especie que mejora en la ducha.

cxi

cornudo destrozona. Cornudo carnestolendas por lo barato. Es especie alborotadora, cachonda y desnutrida.

cxii

cornudo diabético. Aquel al que la dulzura no le sana el cuerno. Es especie bondadosa y quizá añorante, cuyos cofrades lucen la bragueta cuajadita de moscas.

cxiii

cornudo diana. El que por irresponsabilidad, ceguera o cualquier otra causa determinante propia o del cónyuge, se convierte en blanco propicio de todas las murmuraciones. Es especie poco afortunada; en la fonda de Vitigudino, el prior de la orden se pilló las turmas con el somier y estuvo aullando tres días.

[clii] *cornudo disidente.* Cornudo harto.

[lix] *cornudo domado.* Cornudo catequizado.

[clviii] *cornudo doméstico.* Cornudo hogareño.

cxiv

cornudo Don Tancredo. O neutro o impasible. El que no se inmuta, pase lo que pase y por más que le creciere la cuerna. Es especie que suele reclutarse entre los maridos casados por interés. (Hacen excepción los naturales de las provincias cuya renta per cápita queda por debajo del nivel medio nacional.)

CXV

cornudo dórico. El de cuerna de ocho módulos rematada con sencillez; sólo es peligroso si se llama Pepito Barruecopardo de Encinasola de los Comendadores y García-Hontanaya. Es especie proclive al consumo de queso de oveja.

[lxxxvii] *cornudo drope*. Cornudo crapuloso.

e

cxvi

cornudo ecuánime. O garantizado o sensato. Es el protocornudo o protocuerno —voces que forman como prototipo y protomédico— y su cuerna se tiene por la honra y prez de la hermandad y la flor y nata de la cornudería andante. Quevedo le llama del primer modo en *El siglo del cuerno*, y del segundo, en los versos de los que dejo constancia:

> Doctrina es que la oí a un protocuerno,
> que, por hacerla sombra de marido,
> es ahora fantasma en el Infierno.

Es especie de la que no se guarda recuerdo histórico de ningún cofrade que haya andado en bicicleta sin manos.

cxvii

cornudo egoísta. Es el cornudo náufrago que suplica sin sonreír; su actitud es fea y no preconizable, porque bueno está lo bueno. Es especie que admite patadas en el culo sin mayor detrimento.

cxviii

cornudo ejecutivo. O absorto o preocupado. El que, metido de hoz y coz en los negocios, hace la vista gorda ante la heterofalia (difusa o concreta) de la esposa, con lo que le queda más tiempo para ganar el abundante dinero con el que todos puedan vivir con más lujo y deleite. Es especie muy aseada y que lleva un traje por la mañana, otro por la tarde y otro por la noche; con las camisas y corbatas sigue igual política; la ropa interior se la muda a ritmo más lento (sólo los sábados).

cxix

cornudo en barbecho. El que no admite de buen grado la cornificación más que en años alternos. Es especie de espermatozoide lento y rijo disminuido.

[cclxxxii] *cornudo en ciernes*. Cornudo prenupcial.

cxx

cornudo en desgracia. Aquel a quien la esposa, por negar, le niega hasta el cuerpo. Es especie que, en el ritual acto de pelarse la pera, tiene que cambiar de mano por causa de fatiga.

cxxi

cornudo en su propia salsa. El que comienza en cornudo prenupcial y —tras haber desgranado, cuenta a cuenta, todo el largo rosario del cornudaje— termina en cornudo póstumo y consciente de que su paso por este valle de lágrimas fue un corral de cuernos. ¡Dios le ampare, hermano! Es especie que nadie se explica por qué sonríe.

cxxii

cornudo epiléptico. El que se desahoga en espumarajos y convulsiones. Es especie de cuernecía dramática a la que, los poco cristianos, tiran cagajones con honda e incluso arrean desaforados bastonazos.

cxxiii

cornudo escamoteado. Es concepto fijado por Fourier: el casado con mujer que, por razón de largo viaje de cualquiera de ambos, concibe y pare un hijo que no debe tenerse por suyo. Rechaza el producto espurio habido en el vientre de su esposa pero se conforma con la cuerna que le nace en las sienes, lo que siempre resulta más barato. Es especie que vive, en la sociedad de consumo, como el pez en el agua.

[cxxx] *cornudo espantajo.* Cornudo fantasma.

CXXIV

cornudo espantanublados. Cornudo lipendi fantasioso. Suele componer poesías de no mayor mérito. Es especie a la que sienta mal el farinato, sobre todo si tiene demasiada pimienta.

CXXV

cornudo espejo de caballeros. O irreprochable o víctima. El que, mereciendo —por sus virtudes físicas y morales—, esposa santa, contrae matrimonio con esposa puta cual gallina de raza ponedora; suele ser mirado con simpatía y conmiseración. Es especie que se reconforta con la detenida lectura de la crónica bursátil.

CXXVI

cornudo estival. Cornudo veraniego reseco. Es especie cisvestista, que va de pantalón corto de cretona estampada.

CXXVII

cornudo estupefacto. El que, por atonía del cuerno, lo confunde con las cuatro témporas del año. Es especie que se reconstituye con aceite de hígado de bacalao.

cxxviii

cornudo Euritión. El que, cruzado con las yeguas del Pelión, produce un centauro con cuernos. Es especie que alcanza altas cotizaciones por sus dotes para la lucha grecorromana.

cxxix

cornudo excluyente. El que admite que le adorne el cornejal quien él elige y no ningún otro. Es especie que pulula por los concursos hípicos y el tiro de pichón.

f

[cciii] *cornudo fanfarrón*. Cornudo matón.

cxxx

cornudo fantasma. O espantajo. El que atemoriza a la mujer adúltera y a su garañón silbando arias de zarzuela. Es especie folclórica y muy versada en cerámica popular hispanolusitana.

cxxxi

cornudo fascista. El que parte de la lectura de Gabrielle d'Annunzio y sigue hablando de Abisinia. Suele estar casado con ex mujer objeto y es especie habitable, si se acierta a no distraerla de su ensimismamiento.

cxxxii

cornudo fatalista. O resignado. El que se conforma con lo que Dios quiera, pero confía en que el sentido del deber de la esposa le libre de los cuernos, supuesto que —dado que es cornudo— no acontece. Es especie sobria y, en algún modo, concepto emparentado con el del cornudo culpador.

[ccxli] *cornudo federal*. Cornudo pactante.

[cxxxiii] *cornudo figurilla*. Cornudo figurín.

cxxxiii

cornudo figurín. O figurilla. El cornudo mamarracho que gasta tacón cubano. Es especie estafermo y que infunde poco rendibú.

cxxxiv

cornudo filántropo. El que se rige por el precepto evangélico que aconseja hacer bien sin mirar a quién; puede ser próximo pariente del cornudo pater familiae. Es especie a la que apedrean los mozos en las romerías de los varios San Roques a quien Su Santidad el Papa depuró y, en consecuencia, mandó borrar del escalafón de los bienaventurados.

cxxxv

cornudo florido. El de cuerna arborescente, luminosa y noble, al modo de la barba de Carlomagno. Es especie selecta y propia de paladines.

cxxxvi

cornudo fogueteiro. O automotriz o pirotécnico. El que pregona con bengalas y chupinazos su condición. Es especie a la que brilla el pelo en cuanto lleva unos minutos chupando pastillas de goma con sabor a matalahúga.

[cxcvii] *cornudo fosforescente.* Cornudo luminoso.

[ccliv] *cornudo fraternal.* Cornudo pater familiae.

[ccliv] *cornudo fraterno.* Cornudo pater familiae.

cxxxvii

cornudo freganchín. El de poca monta y hábitos domésticos y comineros. Es especie a la que se le da muy bien el parchís y puede considerarse algo pariente del cornudo kummel.

cxxxviii

cornudo fulminante. Fourier lo relaciona con el alborotador; más bien creo que es el cornudo al que se cornifica sin síntoma previo de ninguna índole o suerte. Es especie putañera y aficionada al cante grande, a los toros y a las peleas de gallitos ingleses.

g

CXXXIX

cornudo ganancioso por comparación. Aquel al que siempre retorna la esposa pensando en que más vale malo conocido que bueno por conocer. Es especie que escribe muy indecentes letreros en los evacuatorios públicos, verbi gratia:

> Aquí se caga
> y aquí se mea.
> Y aquí el que tiene tiempo
> y ganas
> se la menea.

O bien:

> Caga el rey y caga el papa
> y, en este mundo de mierda,
> sin cagar nadie se escapa.

O bien:

> En este lugar ramplón
> al que acude tanta gente,
> hace fuerza el más collón
> y se caga el más valiente.

O bien:

> Caga tranquilo, caga contento,
> pero, ¡hijoputa!, cágate dentro.

O bien: El miércoles le pegué ladillas a la Petra. A tu madre se la folla el teniente Estévez. Si me la chupas te invito a un helado. Tu hermana es tortillera, no lo disimules. Etc.

cxl

cornudo garabeta. El que adopta forma de pulpo y quisiera tener tantos cuernos como tentáculos. Es especie cinepimasta que se entretiene paseando la cuerna por los tetámenes propicios.

[cxvi] *cornudo garantizado.* Cornudo ecuánime.

cxli

cornudo Garufa. El que, pese a cagarse por la pierna abajo, se cree un rana fenomenal. Es especie maleva y que, como el cornudo a lo yorado Carlos y el cornudo rubia Margot, se da bien en la banda de estribor (según se entra) del Río de la Plata.

cxlii

cornudo gilipollas. El que es tonto de aquella parte de su organismo por do más torpeza había. También se dice del cornudo que juega al bingo. Es especie que se lava mucho los dientes y la pija, quizá por no haber superado la fase analsádica.

cxliii

cornudo gochista. O ácrata o anarquista. No existe puesto que, para ser cornudo, es preciso admitir las instituciones.

cxliv

cornudo godo. El consciente de que es de buena familia. Se habla de él en el romancero y suele ser alto, rubio, aragonés. Es especie de mucha prosopopoya (prosopopeya en grado superlativo).

cxlv

cornudo gorrión. El que, debidamente domesticado, llega a comer en la mano de su cornificador. Lleva con mal talante la cautividad, que puede ocasionarle la muerte por razón de tristeza. Es especie que reluce restregándole las pelotas con jabón de olor.

cxlvi

cornudo gótico. El de cuerna en ojiva y cornudeado a escuadra y cartabón. Es especie estimada por su buen orden.

cxlvii

cornudo gótico flamígero. El de cuerna en ojiva y calados de adornos asimétricos. Es especie estimada por su artístico orden.

cxlviii

cornudo gótico florido. El de cuerna en ojiva y ornamentación exuberante. Es especie estimada por su riqueza.

cxlix

cornudo gran turismo. El muy capaz. Es especie desconfiada y que no se complace por unidades lineales sino por trayectos.

[lxxxvii] *cornudo granuja*. Cornudo crapuloso.

cl

cornudo Guadiana. El que viaja frecuentemente y con los cuernos puestos; su esposa no se los pone durante las temporadas de convivencia. Su noción suele coincidir, sin que ello sea obligado, claro es, con la práctica de los oficios ambulantes. No debe ser confundido con el cornudo por prescripción, ni con el cornudo por prescripción adquisitiva o usucapión. Diego de Torres y Villarroel, en su *Barca de Aqueronte, residencia infernal de Plutón*, habla de «marido guadianés» en señalamiento del cornudo; apoya su imagen en el recuerdo de la gran vacada —y la subsiguiente provisión de cuernos— que pacía en la famosa Puente del Guadiana, lugar de óptimos pastos cantado por Cervantes y Lope de Vega, y no alude, claro es, al concepto que aquí se viene contemplando. Es especie cagalaolla a la que casi nadie suele dar asilo.

cornudo guiñapo. O andrajo o calandrajo. Cornudo sórdido y aun con menor prestancia todavía. Es especie que, en un rapto de originalidad, echa sal al melón.

[lxv] *cornudo gurrumino*. Cornudo chuchumeco.

h

clii

cornudo harto. O desertor o disidente. El que, hastiado del amor de su esposa, procura endosársela al prójimo para que no le siga dando más la lata. Es especie que se mira en el espejo de Orestes, hijo de Agamenón y Clitemnestra; a su hermana Electra se la tiraba de vez en cuando (parece ser que los lunes, miércoles y viernes, que en esto procedían con sumo orden) el gallardo mozo Pilades, su mejor amigo.

cliii

cornudo hechizado. Cornudo crédulo en grado sumo. Su madurez última pudiera ser la del cornudo angélico o la del bonachón. Es especie de artesanía en materiales nobles: ébano, bronce, marfil, etc.

cliv

cornudo heredero. El que es cornificado por los amantes preconyugales de la esposa y no por nadie más. Es especie respetuosa con el derecho consuetudinario.

clv

cornudo hiperclorhídrico. Aquel a quien la cornamenta produce indisimulable agriura. Es tan ruin que algunos le dicen carnero, en señalamiento que le exacerba los jugos ácidos. De un soneto de Quevedo son los cuatro versos que siguen:

De sí proprio mordió todo carnero;
quedaron espantados los vecinos
de ver tantos cabrones de los finos,
y al Pardo y a Buitrago en un sombrero.

Ambos parajes fueron, en tiempos idos, cornudales de mucho renombre y bien merecida fama. La que ahora se contempla, es especie malhumorada y de no rectas intenciones.

clvi

cornudo hipnótico. O subyugado. Cornudo por razón de amor que propende a quedarse con la boca abierta. Es especie a la que las golondrinas y los vencejos cagan en la boca.

clvii

cornudo hipócrita. Cornudo centinela visto con lente deformante. Es especie que pocos tratadistas toman en serio.

clviii

cornudo hogareño. O doméstico. El que suple a la esposa en el cuidado del hogar y los hijos; su actitud es plausible por cuanto aquélla, ocupada en el fornicio intensivo, carece materialmente de tiempo para cualquier otro menester. Es especie que suelen poner de ejemplo los directores espirituales (más los agustinos que los dominicos).

clix

cornudo honoris causa. El que accede al doctorado del cuerno saltándose noviciados y licenciaturas. Es especie que se saca brillo a los testículos y a los párpados con sidol.

clx

cornudo hospitalario. Cornudo cosmopolita a escala local. Es especie que menciona la *Crónica Teodosiana* (traducción, prólogo y notas del P. Salutario Cebollada y Cebollada, judío converso. Santa Cruz de Mudela, 1677).

i

clxi

cornudo imaginario. El que, sin serlo, sufre creyendo que lo es. Molière lo llevó a la literatura. Es especie presumida y con propensión a adornarse con plumas ajenas.

[cclxxvi] *cornudo impaciente.* Cornudo precipitado.

[cxiv] *cornudo impasible.* Cornudo Don Tancredo.

clxii

cornudo impotente. Cornudo por usucapión contra su voluntad y buen deseo. Es especie de mucha mansedumbre y rápida y murmuradora (no detonante) exoneración de zurullo. Su depauperado rijo bien hubiera precisado del celo gatuno que cantó Quevedo:

Enero, mes de coroza,
por alcabuete de gatos,
casamentero de mices,
sin dote, ajüar ni trastos,

los celos que desperdicias
por desvanes y tejados

repártelos por las chollas
de tantos maridos mansos.

clxiii

cornudo inasequible al desaliento. Es el cornudo aferrado o incansable de Fourier: el que, pase lo que pase, perdona siempre, porque lo cortés no quita lo cachondo. Es especie que bautiza chinitos por giro postal.

[clxiii] *cornudo incansable*. Cornudo inasequible al desaliento.

clxiv

cornudo indultado. Aquel a quien se condona la pena del cuerno. Es especie que, por lo común, no puede evitar el reenganche por más que se lo proponga.

clxv

cornudo invernal. Cornudo angélico que, en los meses fríos, entra en un enfermizo letargo. Es especie que debe ser cuidada con puntualidad y esmero.

[cxxv] *cornudo irreprochable*. Cornudo espejo de caballeros.

j

clxvi

cornudo jabalí. El montaraz y colmilludo; tiene malas pulgas y debe evitarse su presencia. Es especie cinéfila y que accede al orgasmo tan sólo cuando su cornifactor interpreta ballet o, al menos, salta a la comba.

clxvii

cornudo jabato. El muy osado, que enseña la capa a franjas. Es especie que triunfa en la vida con la técnica —que no es tan fácil como parece— de dar una de cal y otra de arena.

clxviii

cornudo jabonero. El de inclinaciones indecentes y capa de color blanco sucio tirando a amarillento. Es especie que se zulla por la pernera, sin pararse a considerar si lleva el traje de los domingos o el de a diario.

clxix

cornudo jalea. El que es más temblón de lo preciso. Es especie que padece de hipo pertinaz.

clxx

cornudo jerárquico. El que no admite ser cornificado por el inferior y se le hace la boca agua ante la sola idea de serlo por el superior. Es especie cuyo individuo aislado puede resultar muy peligroso ya que ante él, cuando se le hinchan los cojones, es inútil tomarse precauciones; lo mismo pasa con los frailes.

clxxi

cornudo jeremíaco. O llorón. El que no guarda la debida compostura y se deshace en llantos y lamentos. Es el cornudo pregonero sin objeto y, por ende, especie a la que más vale ni saludar siquiera.

clxxii

cornudo jeringa. Cornudo lavativa y molesto. Es especie que no suele llamar nunca a las cosas por su nombre.

clxxiii

cornudo jodío clown. El que hace reír con albayalde, arrebol y desgracia; suele tenerse por tonto, pero no lo es. Es especie que, de cuando en cuando, sirve de fuente inspiradora a los músicos viejecitos.

clxxiv

cornudo jónico. El de cuerna de nueve módulos rematada en volutas; sólo es peligroso si se llama Antoñejo Casarabonela Pellejero. Es especie que conduce a poca velocidad.

clxxv

cornudo jonjabero. El que, a cambio de la cuerna, da coba hasta a su padre. Es especie que sabe muchos cuentos de suegras, curas, boticarios, loros, y otras plagas, azotes y maldiciones.

clxxvi

cornudo juanillo. El que pone la mano y sólo la cierra cuando le dicen que Dios le ampare. Es especie que cría cuervos en el sobaco.

clxxvii

cornudo jubilado. El que, por deterioro de la esposa, se conforma con la ensoñación de pretéritas glorias. Es especie que mata las horas leyendo biografías de María Antonieta.

cornudo jubilar. El que persigue la indulgencia plenaria aprendiéndose el calendario de memoria. Es especie de paciencia desarrollada y bien encauzada.

k

clxxix

cornudo káiser. El que amenaza con comerse el mundo y, al final, no mastica ni una rosca; suele lucir grandes mostachos y, por lo común, es ligeramente cojo. Es especie presumida y que colecciona gorras de visera a cuadros, a las que aprovecha hasta el último aliento.

clxxx

cornudo kantiano. El que lleva la cuerna fundándose en la crítica del entendimiento y la sensibilidad. Es especie que produce tipos bajitos pero listos y furabolos.

clxxxi

cornudo Klinefelter. El que padece hipogonadismo masculino por esclerohialinosis testicular y cornal, con atrofia y azoospermia; para colmo, suelen crecerle las tetas. Es especie digna de conmiseración y palmadita en la espalda.

clxxxii

cornudo krausista. El que lleva la cuerna tratando de conciliar teísmo y panteísmo. Es especie que ni fu ni fa, a la que denostó con saña don Marcelino.

clxxxiii

cornudo kummel. El de sentimientos comineros y hábitos procesales. Es especie poco agraciada pero no selvática, a la que se supone algo pariente del cornudo freganchín.

1

clxxxiv

cornudo lagartija. Cornudo zascandil de escasa entidad y aún menor entendimiento. Es especie que sueña con ganar la flor natural en el certamen convocado por la caja de ahorros de su provincia; suele diñarla sin haber abdicado de su esperanza.

clxxxv

cornudo lagarto. Cornudo caracol de piel dura y escamosa. Es especie de mala baba (y aun de mala leche), que cree tener patentado el cuerno. ¡Craso error!

clxxxvi

cornudo lagartón. El voluminoso y de hábitos resabiados. Su presencia es molesta, quizá por notoria. Suele ser aficionado a la buena mesa, sobre todo si paga el prójimo. Es especie que aguanta poco la soledad y frecuenta el trato de las rameras para escuchar un corazón latiendo.

clxxxvii

cornudo lavándula. El que se adorna la cuerna con la aromática florecilla silvestre que le da nombre. San Francisco de Asís fue célibe; de no haberlo sido, se supone que hubiera militado en la regla que ahora se dice. Es especie a la que nacen alitas de sueve plumón en los cuernos.

clxxxviii

cornudo lavativa. El que supone que la cuerna admite la enema de agua de rosas. Es especie que confunde su circunstancia con los signos del zodíaco mal delineados.

clxxxix

cornudo lechuza. El que silba sin más propósito que el de joder la marrana. Es especie a la que se aconseja correr a garrotazos y cantazos.

cxc

cornudo legal. Cornudo milagrero no necesariamente estéril. Suele hallar muy benemérito consuelo pensando en el salto atrás. Es especie que sólo lee lo que le recomienda la asociación que dicen Apostolado de la Prensa.

cxci

cornudo liberal. El que no admite ser cornificado pero encuentra disculpable el que puedan serlo los demás. Es especie que jamás menciona la ley del embudo.

cxcii

cornudo liberto. El que respira con satisfacción cuando descubre que la esposa lo cornifica. Es especie digna del cielo y los altares, que a otros —por menos— les encienden cirios.

cxciii

cornudo licántropo. Cornudo ulcerado al que, en determinadas fases de la luna, se le afilan los colmillos; encierra cierto peligro y debe vacunársele contra la rabia. En domesticidad es especie cinófila que hace tremendas cochinadas con los perros.

cxciv

cornudo lipendi. El que no sabe ni la tabla de multiplicar pero sonríe sin darse un punto de descanso. Es especie optimista y agradecida, ¡da gusto con ella!

cxcv

cornudo lírico-cómico-bailable. El que es alegre, jaranero y cachondón. Su sola presencia puede animar cualquier velada. Es especie que fomenta el entendimiento entre los pueblos.

[clxxi] *cornudo llorón.* Cornudo jeremíaco.

cxcvi

cornudo lobo. Cornudo paladín al que se amansa recebándole la bolsa. Si se llama Teoprépides Pulpis Barberáns y es partidario del Betis Balompié, puede ser relativamente peligroso. Es especie que, al fin y a la postre, sale bastante barata.

[cccxii] *cornudo luético.* Cornudo sifilítico.

cxcvii

cornudo luminoso. O fosforescente. El que tiene luz propia, como las estrellas y a diferencia de los astros; la cuerna le brilla a guisa de la aureola de los santos mártires. Es especie decorativa, si bien de escasa utilidad pública.

m

cxcviii

cornudo malabar. El que se reconforta haciendo juegos de equilibrio con la cuerna. Es especie menuda y pizpireta, que anda a saltitos.

[ccxcii] *cornudo maldito*. Cornudo rabioso.

cxcix

cornudo mamarracho. El que se piensa lo que no es y supone que ser cornudo encierra mayor mérito. Es especie que, sobre todo al principio, puede presentar ciertas dificultades de aclimatación.

cc

cornudo manchesteriano. El que supone, con manifiesto error, que la cuerna va de lui même. Es especie a la que los guardias urbanos le escupen en el tupé y en el cogote sin pedir permiso.

cci

cornudo mapamundi. El que, al cagarse de miedo, pinta la Melanesia y la Polinesia en el calzoncillo. Es especie apestosa y de chicha y nabo, que muge haciendo gorgoritos.

ccii

cornudo mar de nubes. Cornudo lipendi con algunas nociones de enciclopedia. Compone poesías no buenas, pero sí menos malas que las del cornudo espantanublados. Es especie cinéfoba, a la que el cuerno da gatillazo a poco que el cornificador pestañee; disfruta mucho y sin recatarse de vocear a los cuatro vientos que se la pegan los moribundos y los paralíticos. (Puesto que se me presenta la ocasión declaro que la antonomasia *pegársela* alude a que lo que se le pega al cornudo, con firmísima goma arábiga, cola de carpintero o cualquier otro producto análogo, es precisamente la cuerna.)

[lxxvi] *cornudo marrano.* Cornudo converso.

cciii

cornudo matón. O bravucón o belicoso o fanfarrón. El que supone espantar con amenazas y adoptando fieras actitudes, al presunto galanteador de su cónyuge. Suele ponerle los cuernos quien más aplaude su postura. Es especie de misa mayor o de funeral de subsecretario.

ccIV

cornudo meapilas. O chupacirios o místico o santurrón. El manso que, por sus inclinaciones a la santurronería y al trato con clérigos y frailes, provoca el que su mujer, sobre adúltera, sea también sacrílega. Su tolerancia puede conducirle al perdón en el Valle de Josafat, pero su esposa tendrá que dar innúmeras cuentas a Dios Nuestro Señor. Es especie que se sabe la lista de los reyes godos de cabo a rabo, o sea, desde Ataúlfo hasta Don Rodrigo.

ccV

cornudo mejorado. El que ve arreglarse su vida conyugal porque la esposa, tras ponerle los cuernos, aporta nuevas técnicas eróticas al matrimonio y descabalga inhibiciones y otros dengues y zarandajas. Tiene parentesco con el cornudo benigno. Es especie hormiguita y que saca provecho de donde puede y le dejan.

ccVI

cornudo meteorológico. O según las isobaras. El que admite o rechaza los cuernos en función inversa a la altura de la columna de mercurio. Es especie que siempre lleva el ábaco (o al menos la tabla de multiplicar) en el bolsillo.

ccvii

cornudo meticuloso. Cornudo minucioso y más bien cobardica. Es especie de vía estrecha y cortos alcances, a cuyos concornes suele atascárseles la cremallera del pantalón (jamás usan botones en la bragueta) cuando menos conviene.

ccviii

cornudo metralleta. Cornudo naranjero urbano. Contra él, no hay defensa. Es especie arrebatada y de malsana compañía.

ccix

cornudo milagrero. El que tras largos años de esterilidad se encuentra con un hijo que, sin ser suyo, lo parece o, aun sin parecerlo, se le atribuye. Suele hallar muy benemérito consuelo pensando en San José y la Historia Sagrada. Es pariente cercano del cornudo legal y especie que tiene por costumbre suicidarse colgándose de un añoso algarrobo.

ccx

cornudo mil leches. O albarazado impropio. El de inclinaciones bamboleantes o muy confusas y cuerna difícil de dibujar. Es especie a la que saltare y sin excesivos miramientos.

ccxi

cornudo mimado. O compensado. El que calla y otorga a cambio de los arrumacos de la esposa. Tiene cierto parentesco con el cornudo buen vividor, si bien suele ser menos exigente. Es especie a la que gustan los tejeringos y las rondallas de bandurria y mandolina.

ccxii

cornudo minucioso. O puntilloso. El que reconviene a su esposa sobre los peligros de los signos externos pero se conforma siempre con la explicación que recibe. No debe confundirse con el cornudo de signos externos, que es especie significadamente distinta; ésta que nos ocupa suele tomar, después de las comidas, nescafé descafeinado disuelto en agua bidestilada.

ccxiii

cornudo misántropo. Aquel al que la sorpresa del cuerno conduce a la soledad y al humor tétrico y desapacible. Es especie propensa a la incontinencia de orina.

ccxiv

cornudo misógino. El que tiene conciencia de que la mano le es más fiel que la mujer y se reconforta contemplando la idea de que, al paso que ésta puede ser de muchos, aquélla es de él sólo y bien solo. A diferencia de la anterior, es especie que no orina (y siempre claro y recio) sino a voluntad y a su debido tiempo.

[cciv] *cornudo místico*. Cornudo meapilas.

ccxv

cornudo Moersch-Woetman. El que padece hipertonía difusa de la médula del cuerno, con espasmos análogos a las contracturas tetánicas. Es especie que se la rifan los joyeros.

ccxvi

cornudo molinista. El que llega a serlo tras la lectura de la *Concordia liberi arbitrii cum gratiae donis, divina praescientia*, etc., del Rvdo. P. Luis de Molina, S. J. (1535-1600). Es especie con grandes aptitudes declamatorias y oratorias.

[ccxc] *cornudo molinosista*. Cornudo quietista.

ccxvii

cornudo mona vestida de seda. El que, se ponga como se ponga, cornudo se queda. Es especie de muy honda desdicha irreversible.

ccxviii

cornudo morisco. El moro con cuerna cristiana. Es especie híbrida, aunque quizá escape del fuego eterno.

ccxix

cornudo mozárabe. El cristiano cornificado por moro y en tierra de moros. Es especie híbrida —y gafe— en cuyas filas se ceba el reuma; quizá libre de la caldera, lo que tampoco es seguro.

ccxx

cornudo mudéjar. El moro cornificado por cristiano y en tierra de cristianos. Es especie híbrida, aunque quizá pueda acabar salvando el alma.

n

ccxxi

cornudo naranjero. El que se dispara en ráfagas velocísimas y mortales. Contra él, no hay defensa. Es especie que acaba sarnosa y comida por la piojera.

ccxxii

cornudo nato. O predestinado. Es el cornudo mona vestida de seda que no llega a escarmentar jamás: si se casa dos veces, es dos veces cornudo; si tres, tres, y así sucesivamente. Es especie sumamente aficionada a jugar al dominó (especialidad garrafina).

ccxxiii

cornudo náufrago. O simpático. El que pide auxilio al amante de la esposa cuando la ve de mal humor. Tiene cierto parentesco con el cornudo egoísta y es especie de muy apagada iniciativa.

ccxxiv

cornudo nazi. El que parte de la lectura de Nietzsche y ha dejado de hablar ya del III Reich.

Tolera al ario puro y lleva muy a mal el que su mujer lo cornifique con quien no lo es. Es especie maniática, cuyos militantes suelen presentar el síndrome de Goebbels o caquexia testicular ectópica y, en consecuencia, sufren del alifafe que los sabios llaman complejo de inferioridad mal compensado.

ccxxv

cornudo necesitado de ternura. El que da a su trance más mérito del admitido por la costumbre y pone cara de circunstancias (e incluso de estreñimiento rebelde) al objeto de inspirar la conmiseración de deudos y allegados. Es especie de orgullo disfrazado.

[cclxxvi] *cornudo nervioso.* Cornudo precipitado.

[cxiv] *cornudo neutro.* Cornudo Don Tancredo.

ccxxvi

cornudo notarial. O testimonial. El que exige presenciar el trance que lo cornifica. Es especie de intestino grueso dividido en compartimentos estancos.

ccxxvii

cornudo nutricio. Cornudo notarial que realiza el cunnilinguo a su esposa antes de que ésta, tras el fornicio con vecino regadera, se siente en el bidé. Es especie de insospechada predisposición para las artes de adivinar el porvenir.

ñ

ccxxviii

cornudo ñacurutú. El noctívago de capa entre gualda y glauca. Es especie domesticable y en ningún caso peligrosa; algunos son parientes de Lady Macbeth.

ccxxix

cornudo ñandú. El grande y desgarbado, con seis dedos en total. Es especie medio fantasma que, en ocasiones, lee el pensamiento incluso a los que no piensan. La Inquisición lo hubiera quemado sin mayores escrúpulos.

ccxxx

cornudo ñiquiñaque. Es lo que vulgarmente se dice una mierda de cornudo, y especie que no sé ni cómo me ocupo de ella; lo más prudente sería molerla bien molidita en un trapiche o, en su defecto, en una almazara.

ccxxxi

cornudo ñora. El que sufre prurito de ano que se le agudiza con el rijo de la cónyuge cachonda.

Es especie de mucha risa, sobre todo cuando se la corre a chorrazos por los desmontes y las afueras de los cementerios.

ccxxxii

cornudo ñuto. Aquel al que su falta de resignación pone a los bordes mismos de la puñeta. Es especie poco virtuosa y de muy lábil y bien siluetada figura.

0

ccxxxiii

cornudo objeto. El que hace recados y pone la propina de su bolsillo. Suele ser bien mandado y, en cierto sentido, pusilánime. Es especie complaciente y de utilidad en las familias de la clase media sin excesivos posibles.

ccxxxiv

cornudo oficiador de la compasión. El que trata de combatir con lastimeras súplicas la heterofalia de la cónyuge propensa al cachondeo; la esposa, si llega a longeva, no suele desoír sus buenas razones. Es especie de la que bien pudiera decirse que, lo que no se le va en lágrimas, se le va en suspiros.

ccxxxv

cornudo Ogino. El que es cornificado tan sólo en los días no aptos para la procreación. Innúmeros hijos de puta son producto de las poco exactas y muy mudables y huidizas previsiones del prócer japonés. No es aventurado afirmar que la especie desapareció ante la presencia del Enovid, que hoy es ya una pieza de museo pero que fue la primera combinación estrogestágena empleada a gran escala en el control de la natalidad. Es especie caligráfica (la letra que mejor le sale es la bastardilla).

ccxxxvi

cornudo optimista. O buen vividor. El que todo lo ve de color de rosa. Tiene parentesco con el cornudo coadjutor y es especie muy diestra en la pintura a la acuarela.

ccxxxvii

cornudo ordenado de mayores. Cornicantano solemne y doctorado en artes de cuernecía y ciencias cornales. Es especie de muy socorridas dotes culinarias.

ccxxxviii

cornudo ortodoxo. Para Fourier es el cornudo de gracia. Más bien lo entiendo como el que milita en la cuernecía sin olvido ni detrimento de una sola de las reglas del juego. Es especie seria y cumplidora, que procede con adecuación a principio.

ccxxxix

cornudo ortopédico. El que, ante la pérdida de facultades, recurre a la prótesis suplente de la lozanía. Es especie de bastante dignidad y envaramiento.

ccxl

cornudo otorrinolaríngeo. Aquel a quien la cuerna produce un exceso de cerumen en el oído, de moco en la pituitaria y de flema en la laringe. Es especie de no grata presencia, por gargajeante y ruidosa.

p

ccxli

cornudo pactante. O coaligado o federal. El cornudo excluyente que, de acuerdo con quien le cornifica, ahuyenta cualquier otra competencia posible. Es especie que vive espantada con la sola idea del purgatorio y las escandalosas escenas de lascivia que en él se suponen.

ccxlii

cornudo pagano. El de hábitos idólatras y politeístas. Es especie verrionda de natural, cuyos miembros integrantes no suelen criar rencor en el alma.

ccxliii

cornudo paladín. Cornudo matón con veleidades nobiliarias y caballerescas. Es especie arcaizante que dice allende y aquende, doquier y cualesquier, y voto a bríos o voto al chápiro. Debe tomarse con paciencia.

ccxliv

cornudo paliado. El que se esfuerza por cohonestar categoría y anécdota. Es especie irremisiblemente sumida en la duda metódica.

ccxlv

cornudo palmípedo. El que luce membrana intercornal. Es especie que puede jugar al tenis con la cuerna.

ccxlvi

cornudo palmoteador. El que aplaude irresponsablemente y sin venir a cuento y da vivas a lo que se tercie y sin encomendarse ni a Dios ni al diablo. Es especie bobalicona y con el culito redondo (o quizá ligeramente puntiagudo).

ccxlvii

cornudo palomita. Cornudo palomito un sí es no es amadamado. Es especie imaginativa a lo gilí, como los poetas románticos desnutridos.

ccxlviii

cornudo palomito. O zurito. El que zurea de gratitud ante el solo pensamiento del cuerno que se le pone. Es especie imaginativa a lo pedante, como los ensayistas barbudos con avitaminosis testicular.

[cccxxvi] *cornudo palúdico.* Cornudo tercianario.

ccxlix

cornudo panteísta. El que no aparta la cuerna de la totalidad del universo. Es especie pedante y pretensiosa, que juega al ajedrez de memoria.

ccl

cornudo paradójico de Russell. Es concepto estudiado por Seymour Lipschutz en su *Teoría de conjuntos* y se diagnostica así: sea Z el conjunto de todos los conjuntos que no son elementos de sí mismos, es decir,

$$Z = \{ X | X \notin X \}$$

Se pregunta: ¿Z es o no es elemento de sí mismo? Si Z no pertenece a Z, entonces, por la definición de Z, Z se pertenece a sí mismo. Pero si Z pertenece a Z, entonces, por la definición de Z, Z no pertenece a sí mismo. En cualquiera de ambos casos hay contradicción. La noción es, en cierto modo, análoga a la que pudiera colegirse de la paradoja popular de la que a continuación informo: en una aldea hay un único barbero, que afeita no más que a los hombres que no se afeitan solos. Se pregunta: al barbero, ¿quién lo afeita?

Si los cuernos crecieran, no en la frente y por causa determinada, sino en la faz, por la misma razón que la barba crece y de tal modo que su poda habitual se hiciere necesaria, quizá cupiera plantear la paradoja en los términos siguientes: en una aldea hay un único cornudo, y sólo se deja cornificar por los hombres que llevan cuernos. Se pregunta: al cornudo, ¿quién se los pone?

Las características de la esposa del cornudo son las que se dicen:

Margarita es una mujer muy bella de veinticinco años y con un lunar en la mejilla.

Rosalía vive en una casa a la vera de la mar y mea sonoramente.

Isabel es heterosexual no pura sino cochina.

Inés es homosexual no pura sino cochina.

Susana es más puta que una coneja copulando con un poeta épico.

Carmen, en las noches de luna llena, cae en el pecado de bestialidad y se convierte en la ardorosa felatriz del ánade Teobaldo.

Sisenanda (Sisí) se masturba con un percebe durante la marea baja, cuando la mar huele más a mar y los monaguillos se introducen pinzas de colgar la ropa por el ano.

Yolanda tiene el perfil helénico y cría ladillas en las cejas.

Pilar tiene dos senos, uno a cada banda.

Pilar tiene tres senos, colocados en forma de triángulo isósceles.

Pilar tiene cinco senos, con los pezones puestos como las copas del cinco de copas.

Eva ama la soledad durante veintitrés horas al día y se entretiene en tañer la cítara con la pipa o clítoris.

Jacobita es sordomuda y tartamuda y, a lo que dicen, también está cojonuda.

Mariana carece de nacionalidad y nunca podrá ser madre.

El cornudo paradójico de Russell no sale de su asombro y, de su conjunto, puede afirmarse que es especie atónita y un sí es, no es, rubiasca.

ccli

cornudo paria. Cornudo suplicante y sin verdadera vocación. Es especie en cuyo espíritu anida el resquemor; sus adheridos, jamás devuelven el favor prestado.

cclii

cornudo pasmado. Cornudo al que se le abren los ojos y se queda más estupefacto de lo preciso. Es especie flatulenta en series impares.

[lxvii] *cornudo patatero.* Cornudo chusquero.

ccliii

cornudo patentado. El que es capaz de llegar hasta el Tribunal Supremo en busca de la patente que lo acredite de tal; suele ser avaro y ordenancista y estaría dispuesto al cuerno a cambio de guardar las formas (digamos, por ejemplo, de 6 a 9 de la tarde y en barrio alejado del domicilio conyugal). Es especie confidente de la policía y de muy lograda abyección.

ccliv

cornudo pater familiae. O compadre o fraternal o fraterno. El que considera que las mujeres son bienes mostrencos (o nullíus) y alimenta, viste y educa a todos los hijos habidos en su esposa por el vecindario. Merece ser condecorado y subvencionado y forma una especie provechosa para el mejor regimiento del procomún.

[cclxxv] *cornudo pedagogo.* Cornudo preceptor.

cclv

cornudo pelafustán. Cornudo pelagatos con propensión a la holganza. Es especie de utilidad no comprobada; en China arrojan a sus cofrades al caudaloso Yang-tse-kiang (por lo menos esa era la costumbre; ahora, no sé).

[cclvi] *cornudo pelagallos.* Cornudo pelagatos.

cclvi

cornudo pelagatos. O pelagallos o pelgar. Cornudo robaperas de muy escasos arrestos sexuales; alguno hay que, para colmo, es ciclán o chiclán. Es especie que suele padecer de orquitis al cincuenta por ciento.

[cclvi] *cornudo pelgar*. Cornudo pelagatos.

cclvii

cornudo perforante. Se corresponde, dentro de la cofradía del cuerno, con el pelma de igual calificativo estudiado por Huxley. Sólo es peligroso si se llama Damián Esparragalejo Caracuel. Es especie aplicada y de mucha retentiva.

cclviii

cornudo peripatético. O aristotélico. Aquel a quien el médico recomienda el paseo prolongado como profilaxis contra el infarto de cuerna. Es especie de usos higiénicos, de cintura para abajo; de cintura para arriba ya no pudiera decirse lo mismo.

cclix

cornudo perplejo. El que no se explica nada de lo que pasa, pero tampoco pierde su tiempo en buscar razones a la evidencia. Fourier lo identifica con mi cornudo reconcomido, en designación cuya oportunidad no comparto. Es especie que, al menor descuido, se queda de un aire y hay que hacerle la respiración boca a boca.

cclx

cornudo Pigmalión. El adiestrador de la esposa que sale muy aplicada alumna y a la que, tras las clases recibidas, no la paran ni la paz ni la caridad. Es especie irreversible, pese al soplo de vida que Afrodita pudiera darle.

[ccciii] *cornudo pinchaúvas*. Cornudo robaperas.

cclxi

cornudo pirenaico. O altanero. El que mira con descaro tal, que la silueta de barba, cabeza y cuerna le dibujan una S mayúscula elzeveriana. Es especie de elegante estampa y muy noble presencia; con sus cadáveres se pueden hacer en casa lámparas de pie sumamente decorativas.

cclxii

cornudo Piritoo. Aquel a quien le roban la novia antes de que dé fin el banquete nupcial. Es especie en la que no es raro el padecer de hemorroides, que pueden electrocoagularse con dos reóforos enchufados a la corriente industrial.

[cxxxvi] *cornudo pirotécnico*. Cornudo fogueteiro.

cclxiii

cornudo Piscis. El que, acostándose con su propia esposa, se imagina que pone los cuernos a quien le pone los cuernos. Es especie de culo pajarero y vengativa en tono menor.

cclxiv

cornudo plateresco. El de cuerna en ojiva sin olvido del ornato clásico. Es especie peculiar española y muy apreciada por su originalidad, producto de dos copias.

cclxv

cornudo pomarrosa. El de color rojigualdo, olor de rosa y sabor dulce; resulta muy decorativo en las fiestas de hogar y de familia y en los saraos de la clase media acomodada de las ciudades que tengan, al menos, obispado, instituto de segunda enseñanza y casa de socorro. Lleva los cuernos con aseo y es especie aprovechable para embutidos de tripa (sobre todo guarreñas y botagueñas).

[lxxvii] *cornudo por causa emergente*. Cornudo con vocación de supervivencia.

[cix] *cornudo por el puchero*. Cornudo de sopa boba.

[cccxlix] *cornudo por gracia.* Cornudo vocacional. No debe confundirse con el cornudo de gracia.

cclxvi

cornudo por imposibilidad de dar más de sí. El que no alcanza a seguir el ritmo impuesto por la esposa, que las hay inasequibles al desaliento; el cobrador de la luz, el verdulero, el pescadero y el lechero, pueden prestarle el socorro que debe agradecer. Es especie que pasa por este mundo pecador con la lengua fuera; no hace falta hostigarla, porque ya va bien como va.

cclxvii

cornudo por prescripción. O viajero. El que, ausente por largo tiempo, fuerza a la esposa a buscar lubricación vaginal en fuentes próximas. No debe confundirse con el cornudo por usucapión o prescripción adquisitiva, ni con el cornudo Guadiana. Es especie resentida, envidiosa y avara, que cría cuernos con modales harto irreverentes y nocivos; quiere decirse que sus concornes son unos hijos de puta, vamos, unos verdaderos hijos de puta por parte de padre (que por parte de madre hay más y puede serlo cualquiera).

[cclxxi] *cornudo por prescripción adquisitiva.* Cornudo por usucapión.

cclxviii

cornudo por prescripción facultativa. O por salud. El que, por consejo del médico, debe abstenerse del goce venéreo. El alojamiento del falo ajeno en la vagina legalmente propia, no suele tomarlo demasiado a la brava. Es especie con afición a hacer vida de café.

cclxix

cornudo por razón de amor. Cornudo ortodoxo a lo Petrarca. Tiene buena memoria y goza sabiéndose muy desgraciado. Es especie sumamente incómoda, a la que debe darse arsénico al desayuno.

[cclxviii] *cornudo por salud.* Cornudo por prescripción facultativa.

cclxx

cornudo por tablas. El que es engañado por su mujer a consecuencia de una sucesión de circunstancias casuales. Es especie que hace quinielas, aunque no suele acertar: el verde es el color de la esperanza y hay quien se lame el sobaco para verlo crecer.

cclxxi

cornudo por usucapión. O por prescripción adquisitiva. El que, abdicando del débito, es suplido por quien demuestra más aplicación. No debe confundirse con el cornudo por prescripción, ni con el cornudo Guadiana. Es especie diáfana y de buen conformar, que sonríe hasta en los velatorios.

[cccxlix] *cornudo por vocación.* Cornudo vocacional.

cclxxii

cornudo poseído por los demonios. Cornudo rabioso en grado sumo. Es especie de semen tan frío y agriado que algunas damas, en el acto del coito, creen estar yaciendo con Belcebú, cuyo espíritu se le escapa al fornicario por la punta del haba.

cclxxiii

cornudo postal. El filatelista que colecciona los sobres de las cartas de amor que su esposa recibe, que no tiene cuernos quien quiere sino quien puede y se aplica. Es especie de hábitos sedentarios, si bien no se conserva memoria histórica de ninguno que hubiere tomado por retambufa.

cclxxiv

cornudo póstumo. O de ambos mundos. El que es cornificado por la esposa sin respeto a los plazos legales o consuetudinarios. Es especie en la que se cisca el derecho administrativo y los catedráticos titulares de derecho administrativo.

cclxxv

cornudo preceptor. El adiestrador de la esposa en el *ars amandi*, aunque con escaso aprovechamiento; continúa las lecciones quien lo cornifica. Es especie que no escarmienta jamás, aunque la escalden.

cclxxvi

cornudo precipitado. O impaciente o nervioso. El que fuerza, sin querer, los acontecimientos. Tiene parentesco con el cornudo acelerado. Es especie ágil y saltatumbas.

[v] *cornudo precipitador*. Cornudo acelerado.

cclxxvii

cornudo preconizado. O condenado o designado. El que, viejo o deforme, se arriesga a casarse con mujer joven y bella con el argumento de que más vale un bombón para dos que una mierda para uno. Es especie precavida y cautelosa que, aunque finja lo contrario, no se fía ni de su padre.

[ccxxii] *cornudo predestinado*. Cornudo nato.

cclxxviii

cornudo predicador de las buenas costumbres. El que trata de combatir con sermones morales la heterofalia de la cónyuge jodona; la esposa, al llegar a la senectud, suele seguir sus consejos. Es especie reiterativa e insistente, que suele dar muy buenos humoristas.

cclxxix

cornudo predicador en desierto. El que, sobre cornificado, es desairado por la falta de atención que se le presta. Dícese que un marido, al sorprender a su esposa jodiendo por libre con su mejor amigo, les dijo:

—¿No os da vergüenza? ¡Tú, mujer por la que nunca reparé en sacrificios! ¡Y tú, mi mejor amigo, mi camarada! ¡Así mancilláis mi honra!

Al ver que no era escuchado, cambió el tono de voz para decir:

—¡Estáos quietos, coño! ¿No veis que os estoy hablando?

Es especie a la que afecta mucho la desconsideración.

cclxxx

cornudo pregonero. O cocodrilo. El que llora en público, en súplica de la conmiseración que le restañe la cuerna. Es el cornudo jeremíaco que pone precio a su llanto, y especie que cae gorda a casi todo el mundo.

cclxxxi

cornudo premonitorio. En algún modo, es el cornudo presunto de Fourier, quien lo define diciendo: el que, de soltero, teme llegar a serlo y sufre el mal antes de presentarse la causa. Lo entiendo de muy análoga forma y quizá como: aquel que parte del supuesto, para él repugnante, de que la heterofalia es actitud inherente a la mujer —y, en consecuencia, el matrimonio es una premonición de los cuernos— y, no obstante, se casa, aun a sabiendas de que en el pecado ha de llevar la penitencia. Suele tener escasa conformidad. Scarron lo llevó a la literatura. Es especie encenagada en el error, como Lutero, y algo pariente del cornudo apóstata del buen sentido.

cclxxxii

cornudo prenupcial. En algún modo, es el cornudo en ciernes o anticipado de Fourier, quien lo define diciendo: aquel cuya mujer ha tenido contactos amorosos antes del matrimonio y no brinda al esposo su virginidad. Lo entiendo como el que se casa, sin saberlo, con mujer proclive al coito heterofálico, que no interrumpe durante el noviazgo, y que salta del catre al tálamo sin solución de continuidad ni propósito de la enmienda. No lo es quien perdona, porque la heterofalia jamás habita en el recuerdo, ni quien consiente, porque la ignorancia conforma su noción, sino tan sólo el que está en Babia. Es especie mema, a la que no es difícil dar el timo de la estampita; no debe confundirse con el cornudo soltero, ya que acaba abdicando del celibato y sus siempre benevolentes libertades, igualdades y fraternidades.

[cxviii] *cornudo preocupado*. Cornudo ejecutivo.

cclxxxiii

cornudo presumido. Cornudo pretensioso por buena facha. Es especie aficionada a coleccionar falos de jade.

[cclxxxi] *cornudo presunto*. Cornudo premonitorio.

cclxxxiv

cornudo pretensioso. O suficiente. El que se cree tan superior y es tan ciego que no admite la posibilidad de sentar plaza en la cornería. Es especie cuasi metafísica y poco inclinada a los deleites carnales.

cclxxxv

cornudo primaveral. Cornudo angélico al que, en la primavera, canta la cuerna; quiere decirse que lo delata su hedor a chotuno, que no puede taparse ni con pachulí. Es especie de conducta armoniosa y buen equilibrio, pese a que la halitosis le hace piruetas en el aliento; antes de la guerra, mostraba condiciones muy idóneas para la prestidigitación.

[cccxxiii] *cornudo proclive.* Cornudo susceptible de contagio de amor.

cclxxxvi

cornudo pro divo. El que llega al cuerno por los recovecos de su afición a las bellas artes y su reverencia a quienes las practican. Se subdivide en tantas clases como artes son y, si bien lleva con orgullo los cuernos que le pone el maestro en su arte preferido, no admite con paciencia el ser cornificado por nadie ajeno a su sentir. Es especie un sí es no es maniática y de compulsiones autopunitivas.

[xcvii] *cornudo propagandista.* Cornudo defensor del vínculo.

cclxxxvii

cornudo psicosomático. Aquel al que su esposa engaña con el aparato genital (externo y medio) y las tres potencias del alma (fe, esperanza y caridad). Es especie bíblica que se pasa el tiempo hablando de los profetas y demás suertes de haraganes.

[ccxii] *cornudo puntilloso.* Cornudo minucioso.

[xliv] *cornudo pupilo.* Cornudo bragazas.

cclxxxviii

cornudo puro y simple. O cornudo a secas. El que ignora su circunstancia. Suele ser respetado y algunos tratadistas conservadores ni siquiera lo consideran cornudo; no obstante, Quevedo le dedicó un soneto muy hermoso, que dice así:

Cuando tu madre te parió cornudo,
fue tu planeta un cuerno de la luna;
de madera de cuernos fue tu cuna,
y el castillejo un cuerno muy agudo.

Gastaste en dijes cuernos a menudo;
la leche que mamaste era cabruna;
diote un cuerno por armas la Fortuna
y un toro en el remate de tu escudo.

Hecho un corral de cuernos te contemplo;
cuernos pisas con pies de cornería;
a la mañana un cuerno te saluda.

Los cornudos en ti tienen un templo.
Pues, cornudo de ti, ¿dónde caminas,
siguiéndote una estrella tan cornuda?

Es especie habitual y de interés no más que relativo.

q

[xxv] *cornudo que estira y encoge*. Cornudo a lo tripa de Jorge.

ccxc

cornudo quietista. Fourier lo identifica con el cornudo por vocación o por gracia; más bien creo que es el que accede a la cornudería a través de la lectura de la *Guía espiritual* del Rvdo. P. Miguel de Molinos (1628-1696), místico heteroxo que a la hora de la muerte abjuró de sus errores. Es especie medio piadosa y medio hereje, que no es ni carne ni pescado, ni chicha ni limoná, y que suele quedarse entre Pinto y Valdemoro; se deja fotografiar sin ofrecer resistencia.

ccxci

cornudo quiritario. El que padece de cornofobia, tiene un sentido de la propiedad conyugal heredado del derecho romano y ve cuernos por todas partes e incluso donde no brotan. Es especie atormentada y que termina en manos de los psiquiatras.

r

ccxcii

cornudo rabioso. O maldito. Cornudo impotente que cría mala leche en el espíritu. Es especie que viste siempre de estameña y suele darse mucho en los medios rurales.

ccxciii

cornudo real. Quevedo, en *El siglo del cuerno,* explica: «Oí decir el otro día que se trataba de hacer cornudos reales, como escribanos, y repartirlos por las calles, para el buen despacho...». Es especie provechosa para el oportuno concierto de todos; su mérito, con frecuencia, no es lo suficientemente alabado.

[xxxiv] *cornudo rebuscador.* Cornudo aprovechador de los restos.

ccxciv

cornudo recalcitrante. Fourier lo identifica con el alborotador; más bien creo que es el cornudo nato o predestinado que no precisa casarse varias veces para renovar la cuerna. Es especie que, dentro del juego del dominó, prefiere la usual modalidad que llaman chamelo; si le ahorcan el seis doble, empieza a echar espuma por la boca y a decir ordinarieces.

[cccxxxix] *cornudo recíproco*. Para Fourier, es el que paga en la misma moneda, supuesto el que me permito llamar vengador.
[xvi] En mi vademécum se corresponde con el cornudo al ajedrez.

CCXCV

cornudo recoleto. Quevedo, en *El siglo del cuerno*, dice: «...la nueva institución de cornudos recoletos, que ahora se instituye para moderar las sedas, cadenas, diamantes y cintillos que se gastan». Es especie adecuada a causa doméstica y tiene tanta habilidad manual como buen pulso para las salsas (bearnesa, holandesa, mahonesa y tártara).

CCXCVI

cornudo reconcomido. El que, al ser cornudado, reacciona con insano reconcomio del que no abdica porque no puede. Es especie tristona y con la nariz en forma de berenjena madura. Fourier le llama cornudo perplejo o domado, en doble designación cuya oportunidad no comparto.

ccxcvii

cornudo reformista en el poder. Aquel al que la multitud, que en las algaradas propende a hablar en ripio, le grita el día de su onomástica:

Cornudo, escucha:
¡el pueblo está en la lucha!

Si vuelve la espalda con desdén, el pueblo soberano arrecia:

Cornudo, dimite:
¡el pueblo no te admite!

Como cabe suponer, ni escucha, ni dimite, pero llama a la guardia civil. Es especie muy aferrada a los usos y costumbres que aspiramos a que lleguen a ser inusuales y poco acostumbrados entre nosotros.

ccxcviii

cornudo refrescante. El profeso en cuernos que trasiega para olvidar, pero no alcoholatos y bebidas espirituosas, sino horchata de chufas, agua de cebada y zarzaparrilla. Es especie poco viciosa y que no va más allá de cascársela al despertarse por la mañana, cuando el pijo crece quizá por gratitud al tibio y benemérito lecho.

ccxcix

cornudo refrigerado. El que aspira a combatir la cuerna por congelación; yerra en su propósito por cuanto, bien descongelado, el cuerno le sobrevive. Es especie proyanqui, que luce gorrito beisbolero.

[lxii] *cornudo regenerador.* Cornudo centinela.

ccc

cornudo regodeador. El que hace vigilar a su esposa por un detective privado para complacerse con la evidencia del cuerno. Es especie ansiosa y valerosa, que no repara en gastos.

ccci

cornudo renacuajo. Cornudo figurín gordito. Es especie que da todavía más risa que el cornudo figurín.

[cxxxii] *cornudo resignado.* Cornudo fatalista.

cccii

cornudo reumático. Aquel a quien, con la humedad, duelen los cuernos. Es especie no demasiado alegre y que vive de recuerdos heroicos y romanceados.

ccciii

cornudo robaperas. O cascaciruelas o pinchaúvas o sacapelotas. Cornudo lipendi por lo pobre. Es especie ambulatoria y poco exigente que, un día sí y otro no, se queda sin cenar.

ccciv

cornudo románico. El de cuerna en arco de medio punto. Es especie muy apreciada por su sólida sencillez; los turistas lo copian al carboncillo.

cccv

cornudo romántico. El sentimental, generoso y soñador. Suele ser un botarate. Es especie que anda siempre de escapada por el monte porque de ella no se fían ni la paz, ni la caridad, ni los guardas ni guardias (jurados ni civiles).

cccvi

cornudo rubia Margot. El que cree que todo el monte es orégano y contrae matrimonio con piba de costumbres licenciosas: vos ya no sois Margarita, que ahora te llamás Margot. Es especie taita de arrabal que, como el cornudo a lo yorado Carlos y el cornudo Garufa, se da bien en la banda de estribor (según se entra) del Río de la Plata.

S

cccvii

cornudo sacabuche. Cornudo renacuajo berrendo en cornudo luminoso. Es especie graciosa, pero no inteligente; sirve para hacerle la petaca en la cama y a algunos, el día de su santo, les dan por detrás.

[ccciii] *cornudo sacapelotas*. Cornudo robaperas.

cccviii

cornudo salvado. Cornudo casto que confunde los cuernos con el purgatorio. Fourier le llama cornudo desesperado, en denominación cuya oportunidad no comparto. Es especie supersticiosa, que se pasa la vida haciendo extraños gestos y contragestos con los dedos.

cccix

cornudo sanguijuela. El que, a cambio de su tolerancia, explota y oprime —y chulea y exprime— a la esposa y a su amante hasta límites inhumanos. Es especie de la que debe uno guardarse para la propia mejor conservación.

[cciv] *cornudo santurrón*. Cornudo meapilas.

cccx

cornudo Schaeffer. El que padece corniqueratosis congénita hereditaria, con asociación de trastornos psíquicos y epilepsia. Es especie digna de lástima, a la que no se debe orinar en los oídos porque se le tupen.

[ccvi] *cornudo según las isobaras.* Cornudo meteorológico.

cccxi

cornudo semáforo. El que le brillan los ojos a tenor de la lozanía de los cuernos. Es especie de quita y pon, que funciona con más naturalidad a 220 voltios.

[cxvi] *cornudo sensato.* Cornudo ecuánime.

cccxii

cornudo sifilítico. O luético. El que aloja al treponema pálido o espiroqueta puñetera en los cuévanos de las tres potencias del alma. Es especie poco estudiosa y, por esquinada, de trato no recomendable; es la mala compañía de que hablan nuestros mayores.

cccxiii

cornudo simpático. Para Fourier es una mezcla de cornudo egoísta, cornudo náufrago y cornudo susceptible de contagio de amor. Lo entiendo más bien como el cornudo náufrago que, además, sonríe suplicante. Es especie que, aunque tenga posibles, viste de retales baratos y se toca con gorro frigio.

cccxiv

cornudo social. Puede serlo cualquiera que, sobre cornudo, se sepa de memoria los cuatro primeros apellidos de los usuarios actuales de los títulos de nobleza (no pontificios). Es especie que no sabe tocar la flauta ni la armónica, pero a la que le gustaría saber tocar la flauta o, al menos, la armónica.

cccxv

cornudo socialdemócrata. El berrendo de cornudo socialista y cornudo demócrata, con cierta preponderancia del segundo. Es especie que cambia de automóvil y de televisor cada dos años.

cccxvi

cornudo socialista. El que no acierta a superar dialécticamente sus propias contradicciones. Es especie culta, titubeante y remilgada.

cccxvii

cornudo soldado desconocido. El que es cornificado, sin pena ni gloria, a la mejor honra y prez de la cuernecía. Es especie de nivel de vida modesto con el que se conforma, porque a la fuerza dieron por culo al Tato.

cccxviii

cornudo soltero. (Que también los hay.) Es el de pocas yerbas y vocación sin linde. La ley lo prohíbe pero, bien asadito, es un plato delicioso y un manjar digno de los más exigentes paladares. Es especie que, en algunas comarcas, se utiliza para preparar el calderillo o guiso típico de los pastores; no debe confundirse con el cornudo prenupcial, ya que jamás abdica del celibato.

cccxix

cornudo sórdido. El que mama de sus propios cuernos sin gastarse un duro en adornar a la esposa. Suele ser especie suburbana e indigna de aplaudirle lo bien que salta a la pata coja.

cccxx

cornudo subconsciente. El producido por la concurrencia de características difusas y no gobernables a voluntad, incidiendo sobre el parámetro reaccionario (que designo α), común a las conciencias que considero. Puede ser de cualquiera de las cinco clases que paso a enumerar, ya que todas ellas son inscribibles bajo esta rúbrica:

α + hastío enfermizo = vicecornudo añorante o al arpegio.

α + miedo insuperable = vicecornudo acomodado o a la *bocca chiusa*.

α + cinismo cultivado = vicecornudo financiero o a la zarabanda.

α + afán de aventura = vicecornudo perito en mañas o a la pantomima.

α + emoción revolucionaria = vicecornudo imperial o al pasacalle.

Es especie que navega dando bandazos y, tan falta de urbanidad, que hasta delante de personas principales se rasca las partes genitales.

[clvi] *cornudo subyugado*. Cornudo hipnótico.

[cclxxxiv] *cornudo suficiente*. Cornudo pretensioso.

cccxxi

cornudo suplicante. Cornudo tímido que saca fuerzas de flaqueza. Es especie que, aunque sin aprovechamiento alguno, lucha contra sus propios y parvos condicionamientos.

cccxxii

cornudo surrealista. El que se deja llevar del ronzal por el dolorido sentir automático. Es especie alborotadora pero mansa, a la que puede dársele cierta vivacidad restregándole el esfínter del ano con una guindilla. (Nótese su diferencia con el cornudo Westphal-Strümpell.)

cccxxiii

cornudo susceptible de contagio de amor. O proclive. Es el cornudo simpático que, sobre pedir ayuda al amante de la esposa, intima con él y le brinda muy admirativa e íntima amistad. Asimila toda la heterogénea e ilimitada capacidad amorosa de su cónyuge pendón y, al final, no puede ni con su alma. Es especie estoica que enciende candelillas o mariposítas en una taza de óleo en honor de los presantos Zenón, Cleantes y Crisipo (q.e.p.d.).

cccxxiv

cornudo sutil. O Argos o cauteloso. El que adopta sabias medidas y ejercita un astuto tira y afloja en su lucha contra los cuernos; no lo consigue, pero suele obtener ciertas ventajas que le compensan. Es especie que vive con muy poco aunque, eso sí, de precario.

t

CCCXXV

cornudo tecnócrata. El que, metido de hoz y coz en la simulación de la política, hace la vista gorda ante la heterofalia (difusa o concreta) de la esposa, con lo que le queda más tiempo para hacer la puñeta al paisanaje desde el *Boletín Oficial del Estado.* Es especie muy peligrosa por su aplicación, sólo comparable a su capacidad para la coba a calzón quitado.

CCCXXVI

cornudo tercianario. O palúdico. El que padece en la cuerna la calentura intermitente que repite cada tercer día. Es especie de muy poca salud, que se acatarra a la menor corriente.

CCCXXVII

cornudo testaferro. O arribista. El que acepta casarse con la querida de quien le da de comer y no exige patente alguna de monopolio carnal. Es especie de naturaleza benévola aunque, en determinadas fases de la luna, se tira pedos desconsiderados y horribles delante de la gente (al igual que Alfonso Martínez de Toledo, arcipreste de Talavera).

[ccxxvi] *cornudo testimonial.* Cornudo notarial.

cccxxviii

cornudo tímido. Cornudo con más vocación que dotes naturales; su matrimonio con mujer poco agraciada suele dificultar el correcto ejercicio de sus aficiones. Es especie que camina mirando para los balcones, a ver lo que se atisba.

cccxxix

cornudo tirabuzón. El de cuerna salomónica. Es especie vistosa pero no sólida; mejora dándole con almidón.

cccxxx

cornudo tísico. El que se desahoga en toses y licencias líricas. Es especie soñadora y proclive al delicado y lujurioso parcheo en los cines de sesión continua, en los parques públicos o donde se tercie.

[lxxxv] *cornudo tolerante.* Cornudo cortés.

cccxxxi

cornudo tradicional. Cornudo centinela de

ideas fijas. Se afeita con navaja y no bebe sino vino tinto. Es especie que se cría en los pegujalejos. Si además es judío, puede confundirse con el carnerón de Quevedo:

> Oyó cuerno en el Prado y Aranjuez;
> gradüóse después de carnerón;
> como del fuego huye del lechón,
> si a San Antonio encuentra alguna vez.

El Prado (quizá sea el Pardo) y Aranjuez, eran aposento de muy famosas vacadas.

[xxxiii] *cornudo tránsfuga del buen sentido.* Cornudo apóstata del buen sentido.

[xci] *cornudo trascendente.* Cornudo de alto vuelo.

cccxxxii

cornudo traslaticio. O autozaheridor. El que se disfraza de vecino para poder yacer con su propia esposa. Es especie aficionada a las aventuras, siempre que no sean cabrunas ni cabronas en exceso.

cccxxxiii

cornudo tratable. El que no muerde. Es primo hermano del cornudo benigno y especie de grata compañía sobornable: una vitola de puro, un tiento a las nalgas cónyuges; dos, toqueteo más completo; tres, lengüetazo; cuatro, paja o puñeta; cinco, paja o puñeta recíproca o a la viceversa (hoy por ti y mañana por mí y, al que se le vayan antes las cabras, que aguarde); seis, polvete; siete, polvo; ocho, polvazo; nueve, felación, y diez, brindis del ojete u ojo del sieso. No creo preciso aclarar que el de las vitolas es él, y ella la que las paga con sus servicios.

cccxxxiv

cornudo trasvestista. El que en los carnavales se disfraza de casada infiel. Es especie maricona y que, en determinadas lides, puede suplir a la esposa sin mayor desdoro.

cccxxxv

cornudo trompeta. O voceras. El que, para inspirar lástima, pregona sus cuernos a bombo y platillo. Es especie avancuerna vergonzante, que desayuna de tenedor.

[xliv] *cornudo tutelado.* Cornudo bragazas.

u

cccxxxvi

cornudo ulcerado. El que se casa con mujer cuya heterofalia llega al furor uterino y no lleva su estado con resignación y humildad, lo que le conduce a sufrir de úlcera de estómago. Es especie que se escagarrucia en el zafariche en cuanto uno mira para otro lado.

cccxxxvii

cornudo ultra. O bunkeriano. El que supone al cuerno producto de una conjura internacional contra las esencias. Procede por consignas, habla con voz tonante, conoce las llaves de los luchadores y, por lo general, va armado. Es proclive a deslomar al vecindario y da a los masones más mérito del que tienen. Es especie muy teatral y escandalosa, a la que hay que sosegar con manguera.

cccxxxviii

cornudo vegetable. El que, tras haber ejercitado sus tolerancias y paciencias en la Gran Bretaña, llama con el plural de su adjetivo calificativo a las judías verdes, las espinacas, los guisantes, los espárragos, etc. Es especie cipridófoba que, cuando ve un chumino, sale de naja y tienen que buscarlo por el monte con la ayuda de perros amaestrados.

cccxxxix

cornudo vengador. Es el cornudo recíproco de Fourier, en denominación cuya oportunidad no comparto. Lo entiendo como el que, guiado por fin innoble, pone los cuernos a quien le pone los cuernos, en actitud poco deportiva. Es especie hortera aunque presuntuosa, que tiende a vestir de marrón; jamás se ha conocido a ningún concorne que tuviera media hostia.

cccxl

cornudo vengador indirecto. El que, por mala leche, pega ladillas a su cornificador por vía del compartido monte de Venus. Se ríe mucho, pero su risa es malsana. Es especie jabonosa y lubrificante cuyos hermanos, alrededor de la cincuentena, suelen apuntarse en la Adoración Nocturna.

cccxli

cornudo veraneante. Aquel a quien la esposa tan sólo cornifica durante las vacaciones. Es especie que, de acuerdo con las normas internacionales de aviación civil, ventosea de lado y con sordina.

cccxlii

cornudo veraniego. Cornudo angélico al que, durante el verano, cuece la cuerna. Es especie de mucho remilgo que, como no fuma, se coge el pipí con un taschentücher kleenex.

cccxliii

cornudo vergonzante. El que procura disimular su estado. De Quevedo es la poesía a la que pertenecen los siguientes versos:

Y si el curial y corredor valido,
con tablilla en su puerta, nos declara
el oficio que tiene permitido,

bien fuera que un cornudo declarara
su arte, tan usado entre modernos,
con este mi letrero en letra clara,

porque pueda durar siglos eternos
en lámina de bronce u de diamante:
«Aquí vive un curial despachacuernos».

Y si alguno que no es tan platicante
no quisiere guardar lo instituido,
éste será cornudo vergonzante.

Es especie que reacciona bien ante la terapéutica casera de la lavativa de lejía.

[cclxvii] *cornudo viajero.* Cornudo por prescripción.

[cxxv] *cornudo víctima.* Cornudo espejo de caballeros.

cccxliv

cornudo victoriano. El que accede al cornudaje pese a haber leído a Rudyard Kipling (o a lo mejor por ello). Es especie clastómana, que echa los pies por alto al menor descuido.

cccxlv

cornudo vicuña. El mamífero herbívoro que, en su cándida insensatez, pasa por ciclos en los que llega a creerse fiera bestia depredadora y carnicera. Es especie de cuernigalla de mala clase y propia del altiplano, que suele morir deslomada por cualquier indio.

cccxlvi

cornudo vil. El proclive al autovilipendio e ignorante de que su circunstancia no tiene mérito mayor. Es especie que, cuando descubre el olisbo, se vuelve insoportable.

[lxxxvii] *cornudo villano.* Cornudo crapuloso.

cccxlvii

cornudo virtuoso. Fourier lo identifica con mi cornudo pro divo; más bien creo que es el cornudo benigno sin causa determinante previa. Es especie de cornifactoría que, por el abuso de los piensos compuestos, pierde casta a pasos agigantados.

cccxlviii

cornudo vivalavirgen. O cantamañanas o chafandín. Al que le es igual ser que no ser cornudo. Es especie cleptómana que se reconforta robando ceniceros en los restoranes.

cccxlix

cornudo vocacional. Cornudo ortodoxo por naturaleza o temperamento. Es especie escolástica que, en su catecúmeno furor ecuménico, confunde a Santo Tomás de Aquino con el Caballero Casanova.

[cccxxxv] *cornudo voceras.* Cornudo trompeta.

cccl

cornudo wagneriano. El muy solemne y nada dubitativo; su cuerna suele ser robusta y saludable. En cierto modo, puede entenderse como el antípoda del cornudo descalcificado. Es especie que supone que los españoles somos de segunda.

cccli

cornudo Westphal-Strümpell. El que padece seudoesclerosis cornal asociada a cirrosis hepática. Es especie merecedora de suerte; sus cofrades muestran inclinaciones contemplativas, contra las que puede lucharse frotándoles el esfínter del ano con media ñora o pimiento picante de los murcianos. (Nótese su diferencia con el cornudo surrealista.)

X

ccclii

cornudo xenófobo. El cornófobo que demuestra odio u hostilidad al cornófilo foráneo; suele ser especie rácana (francesa o de algún modo vinculada a su cultura) y que ahorra por ahorrar; con harta frecuencia, sus concornes son los muertos más ricos del camposanto.

cccliii

cornudo xifoide. El de cuerna cartilaginosa y resignada. Es el ciervo cantado por Quevedo:

Pues nunca olvida Dios el que es su siervo,
y el que sustenta al mínimo mosquito
sustentará también un grande ciervo;

y déstos su rebaño es infinito,
pues, si os ha de juzgar por el estado,
vosotros sois del número precito.

Es especie parasitaria y más diligente que inteligente, que se caracteriza por sus buenos modales, sus ternos bien cortaditos y la obsesión por llamar el Padre —por antonomasia y con P mayúscula— al no marqués, sí marqués y ex marqués de Peralta, muerto en olor de santidad tras haber aprovisionado de ministros al país; su figura suele contemplarse con profundo respeto, sobre todo desde que pasó a mejor vida (si cabe).

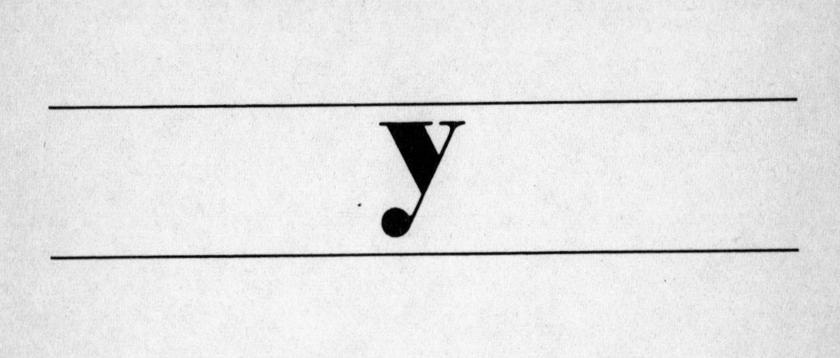
y

cccliv y ccclv

cornudo yambo. Si su epíteto viene del latín *iambus,* es el que tiene un asta átona y la otra tónica. Si deriva del sánscrito *jambu,* es el que, sobre tartamudear, bizquea. Ambas son especies que todo lo ven a vista de pájaro y en perspectiva caballera.

ccclvi

cornudo yesca. El que, en presencia del eslabón y el pedernal, suelta chispas por la cuerna. Es especie pegajosa y, aunque no brava, incómoda.

ccclvii

cornudo yolillo. Cornudo algo más pequeño que el corojo. Es especie que se pone a cien con una jícara de chocolate a la española con azúcar cande; como bien decía Erasmus Rotterdamensis en su *Sordida opulentia,* cada cual se corre como puede o, subsidiariamente, como le dejan.

[xli] *cornudo yuyuba.* Cornudo azufaifa.

Z

ccclviii

cornudo zabulón. Cornudo zaragate por soleares. Es especie asfaltada y propia de señores mayores que no pueden ocultar, aunque sí quisieran hacerlo, la indeleble huella de la andropausia.

ccclix

cornudo zaragate. Cornudo pelagatos con propensión al pillaje y al pastoreo. No es peligroso más que cuando se llama Robertín Cillaperlata Gómez. Es especie corniveleta y marinera que, por inercia, pide cocochas de merluza en Ciudad Real.

ccclx

cornudo zaragatero. Cornudo zaragate con vetas de cachondo y jaranero; su sola presencia suele brindar moral al pusilánime. Es especie que utiliza el catéter con fines deshonestos.

ccclxi

cornudo zascandil. Cornudo lipendi de alegres inclinaciones y hábitos dispersos. Es especie a la que se da bien el tumulto y el cachondeo y que jamás se niega a la tracamundana.

ccclxii

cornudo Ziehen-Oppenheim. El que padece distonía cornal deformante progresiva. Es especie típicamente calvinista y bancaria, que procede por corniparalogismos en búsqueda de justificación o consuelo.

[ccxlviii] *cornudo zurito.* Cornudo palomito.

ccclxiii

cornudo zurriburri. Cornudo robaperas alegre y que disfruta de buena salud. Es especie a la que brotan en la piel mamelones redondeados análogos a los peculiares del país de Sussex.

y ccclxiv

cornudo zurupeto. Cornudo notarial rústico. Es especie litigante que procede por filias y fobias; su muerte (cosido a puñaladas, ahogado en un pozo, ahorcado en el montante de la puerta, degollado con un cuchillo de jifero, asado en el horno de cocer el pan, envenenado con matarratas, estrangulado con un mantón de Manila, sofocado bajo un jergón de pinochera, etc.) suele salir en la página de sucesos.

Palma de Mallorca, en la onomástica de 1976 de mi buen amigo Tomeuet Barxet i Capigual, alias Cabraboc Banyarrut. Unos dicen que Bartolomé significa «hijo de quien detiene las aguas», que tanto puede ser Dios Nuestro Señor como un funcionario municipal, mientras otros suponen que vale por «hombre modestísimo»; dados mis escasos conocimientos de hebreo, juzgo más sensato no pronunciarme.

INDICE